LE MAJOR
PARLAIT TROP...

AGATHA CHRISTIE

LE MAJOR
PARLAIT TROP...

traduit de l'anglais par Claire Durivaux

LIBRAIRIE DES CHAMPS-ÉLYSÉES

Ce roman a paru sous le titre original :

A CARIBBEAN MYSTERY

CHAPITRE PREMIER

— ... Quand il est question du Kenya — enchaîna le major Palgrave — vous trouvez des tas de types prêts à en discourir sans y avoir jamais mis les pieds! Pour moi, j'y ai passé quatorze années de ma vie, les plus belles...

Son interlocutrice, la vieille Miss Marple, hocha la tête dans un mouvement de courtoise attention. En réalité, pendant que le major égrenait les souvenirs sans intérêt d'une existence banale, Miss Marple suivait paisiblement le cours de ses pensées... Une habitude devenue sienne depuis longtemps. Elle était fatiguée d'entendre toujours les mêmes histoires dont seuls les décors changeaient. Autrefois on ne parlait que de l'Inde, de l'Armée des Indes avec ses majors, ses colonels, ses lieutenants généraux, et des mots aux sonorités étranges comme Simla, Bearers, Tigres; Chota-Azri, Tiffin, Khitmagars, étaient familiers à tout le monde. Aujourd'hui, le major Palgrave discourait sur le Kenya et usait de vocables non moins curieux que ses prédécesseurs : Safari, Kikuyu, Éléphant, Swahili... Cela commençait partout de façon identique : un homme déjà d'un certain âge éprouvait le besoin d'avoir un auditoire pour tenter de revivre par le souvenir les jours heureux d'un passé qu'il avait traversé la tête haute, l'œil aigu et l'oreille fine. Si certains de ces conteurs se présentaient sous les traits de beaux vieillards ayant gardé une allure martiale, d'autres étaient tristement laids. Le major Palgrave appartenait à cette dernière catégorie, avec son visage congestionné le faisant ressembler à une grenouille portant monocle.

Envers tous ces bavards, Miss Marple témoignait de la même charité courtoise. Assise, faussement attentive, inclinant de temps à autre la tête en signe d'approbation, elle regardait en réalité ce qui se passait autour d'elle, attardant son regard sur ce qui lui plaisait : pour l'heure, le bleu profond de la mer des Antilles.

... C'était vraiment si gentil de la part de Raymond, se disait-elle, émue et reconnaissante. Pourquoi ce garçon se souciait-il tant de sa vieille tante ? Par devoir peut-être ? Ou bien, plus simplement, par sentiment de la famille ? Ou plus simplement encore, parce qu'il éprouvait de l'affection à son égard ? De l'affection, il lui en avait toujours témoigné, mais nuancée d'une légère exaspération, d'un rien de mépris. Il s'efforçait continuellement de la « mettre à la page », en lui envoyant des romans modernes mais tellement compliqués ! Les auteurs n'y faisaient vivre que des gens impossibles, perdus dans des aventures médiocres ne semblant même pas les intéresser. Dans la jeunesse de Miss Marple, on n'aurait guère osé prononcer ou écrire le mot « sexe ». Cela n'empêchait nullement les hommes et les femmes d'obtenir de leurs passions plus de satisfactions que leurs cadets qui en parlaient tout le temps.

Le regard de la rêveuse demoiselle glissa sur le livre ouvert sur ses genoux à la page 23 qu'elle n'avait pu dépasser :

— *Alors vous prétendez être encore pure, s'enquit le garçon, à dix-neuf ans ? Ce n'est pas normal !*

La fille dont les cheveux gras et raides masquaient en partie le visage, hocha la tête et murmura tristement :

8

— Je sais...

Il la contemplait vêtue d'un vieux chandail taché exhibant des pieds nus et sales, répandant une odeur de rance, et se demandait pour quelles raisons il la trouvait si attirante.

Miss Marple se le demandait aussi.

— Ma chère tante Jane, disait Raymond, pourquoi vous obstinez-vous à vivre la tête sous l'aile ? Vous êtes murée dans votre existence étriquée de provinciale idéaliste ! Ce qui compte, c'est la vie et la vie seule !

Pourtant l'existence à la campagne était loin du tableau idyllique que son neveu et les ignorants de sa sorte imaginaient. En remplissant ses obligations de bonne paroissienne, Miss Marple avait acquis une expérience profonde des dessous de la vie aux champs. Elle n'éprouvait pas l'envie d'en parler, encore moins d'en écrire, mais elle ne les ignorait pas : beaucoup d'histoires sentimentales légales ou illégales, viols, incestes, perversions de toutes sortes, quelques-unes même inconnues des austères et savants jeunes gens d'Oxford qui écrivent sur ce sujet.

Miss Marple revint à la mer des Antilles et au monologue que poursuivait impitoyablement le major Palgrave.

— Vous possédez vraiment une expérience peu banale et passionnante...

— Je pourrais vous en dire bien davantage mais certains détails ne sont pas faits pour l'oreille d'une personne comme vous.

Avec l'aisance que donne une longue pratique, Miss Marple baissa pudiquement les paupières tandis que le major continuait sa description expurgée des coutumes tribales. La vieille demoiselle en profita pour retourner à son neveu si affectueux.

Raymond West était un romancier à succès gagnant beaucoup d'argent. Gentiment, il s'efforçait d'embellir l'existence de sa tante. L'hiver précédent, elle avait souffert d'une grave pneumonie et le médecin lui avait conseillé d'aller se remettre au soleil. Noblement, Raymond suggéra alors un voyage aux Antilles. Miss Marple feignit aussitôt de reculer devant les dépenses, l'éloignement, les fatigues du voyage et l'abandon de sa chère maison de St. Mary Mead. Le neveu résolut tous ces problèmes. Un confrère qui cherchait un coin tranquille pour écrire un roman, occuperait la maison de sa tante et comme il s'agissait d'un homme aux mœurs efféminées, la vieille demoiselle pouvait être certaine que sa demeure serait bien tenue. Il surmonta aussi toutes les autres difficultés. Voyager ne posait plus de problème à l'heure actuelle, et l'avion serait le moyen de locomotion le plus pratique. Une autre collègue de Raymond, Diana Horrocks, accompagnerait tante Jane jusqu'à Trinidad et veillerait sur elle. A St. Honoré, elle descendrait à l'hôtel *Golden Palm* tenu par les Sanderson, un des couples les plus charmants qui soient au monde. Ils s'occuperaient d'elle avec sollicitude. Raymond se chargeait de leur écrire immédiatement pour les prévenir.

Il se trouva que les Sanderson étaient rentrés en Angleterre, mais leurs successeurs, les Kendal, répondirent pour assurer Raymond qu'il n'avait pas lieu de s'inquiéter pour sa tante. Un très bon docteur se trouvait sur l'île en cas d'urgence, et eux-mêmes entoureraient la vieille demoiselle des soins les plus attentifs.

Ils se montrèrent d'ailleurs aussi empressés qu'ils l'avaient promis. Molly Kendal, une blonde d'une vingtaine d'années, d'humeur toujours égale, accueillit Miss Marple chaleureusement et fit tout son possible pour lui rendre le séjour agréable. Tim Kendal, son mari, un garçon de trente ans, grand, mince et brun, se montra lui aussi très aimable.

Et me voilà, pensait Miss Marple, loin du rigoureux climat anglais, avec un adorable petit bungalow pour moi seule, de charmantes jeunes filles indiennes à mon service, un Tim Kendal m'attendant toujours dans la salle à manger pour placer une plaisanterie en me conseillant sur le menu du jour. Elle aimait le petit chemin allant de son bungalow à la plage où elle pouvait se reposer dans une chaise confortable en regardant les baigneurs. Pour lui tenir compagnie, il y avait même des hôtes : ses contemporains : le vieux Mr. Rafiel, le Dr Graham, le chanoine Prescott et sa sœur, avec, en plus, son chevalier servant, le major Palgrave. Que pouvait désirer de plus une dame de son âge ?

Bien que ce fût profondément regrettable — et Miss Marple éprouvait un sentiment de culpabilité en se l'avouant — elle ne goûtait pas la satisfaction qu'elle aurait dû goûter.

Un climat doux et chaud certainement — et tellement indiqué pour ses rhumatismes — un décor magnifique, bien qu'un tantinet monotone peut-être ? Tant de palmiers... Mais tous les jours se ressemblaient. Aucun imprévu n'intervenait jamais pour en changer le cours. Rien de comparable avec St. Mary Mead où il se passait toujours quelque chose. Son neveu avait comparé un jour la vie à St. Mary Mead à de l'écume sur la surface d'un étrang. Elle avait protesté avec indignation qu'une parcelle de cette écume, observée au microscope, pourrait révéler bien des secrets. Oui, en vérité, il se passait toujours quelque chose à St. Mary Mead. Des tas d'événements anciens se bousculaient dans la mémoire de Miss Marple : l'erreur dans la préparation du sirop contre la toux de la vieille Mrs. Linnett et l'étrange attitude du jeune Polgate, et la fois où la mère de Georgy Wood rendit visite à son fils (mais était-ce bien sa mère ?) et la véritable cause de la querelle entre Joe Arden et sa femme. Tant de problèmes humains passionnants qui vous offraient le plaisir d'interminables méditations. Si seulement, il y avait quelque chose ici dans quoi elle puisse mordre à belles dents !

Sursautant, Miss Marple réalisa que le major Palgrave,

ayant abandonné le Kenya pour la frontière nord-ouest[1], relatait ses expériences en tant qu'officier subalterne. Malheureusement, il s'enquérait auprès de son interlocutrice inattentive :

— N'êtes-vous pas de mon avis ?

Une longue pratique avait permis à la vieille demoiselle de se montrer habile à éviter ce genre de piège.

— Je ne pense pas posséder assez de connaissances pour avoir une opinion. J'ai bien peur de n'avoir toujours mené qu'une vie très retirée.

— C'est tout à votre honneur, chère mademoiselle, tout à votre honneur, remarqua d'une voix puissante le galant major Palgrave.

— Vous avez connu une existence tellement agitée, continua Miss Marple, déterminée à faire amende honorable pour son agréable inattention.

— Pas mal agitée, en effet, convint le major avec satisfaction. Il jeta autour de lui un regard appréciateur :

— Quel endroit charmant !

— Oui, vraiment admit son interlocutrice qui ne put s'empêcher d'ajouter : Se passe-t-il jamais quelque chose ici ?

— Bien sûr. Beaucoup de scandales ! Par exemple je pourrais vous raconter...

Mais les scandales n'intéressaient pas Miss Marple. Elle ne pouvait y mettre son nez. Il ne s'agissait toujours que d'hommes et de femmes changeant de partenaires et attirant l'attention sur leurs exploits, au lieu d'en étouffer les échos honteux.

— Il y a même eu un meutre commis ici, il y a deux ans. Un nommé Harry Western. Cela a fait l'effet d'une bombe dans les journaux. Vous vous en souvenez sans doute ?

---

[1] Province de la Frontière Nord-Ouest. Au temps de l'*Empire des Indes*, région qui touche l'Afghanistan.

La demoiselle acquiesça sans enthousiasme. Ce n'était pas le genre de meurtre qui la passionnait, et si l'histoire avait eu un tel retentissement, c'est que les gens qu'elle concernait étaient très riches. Il semblait qu'Harry Western avait tué le comte Ferrari amant de sa femme. Il apparaissait que son alibi, si méticuleusement mis au point, avait été fabriqué et bien payé. Tous les protagonistes de ce drame, ivres, auraient même poussé le raffinement jusqu'à se droguer.

En somme, des gens peu intéressants, bien que sans aucun doute, très en vue et curieux à regarder vivre. Mais ce crime ne relevait pas du genre d'affaires que l'héroïne de St. Mary Mead aimait à débrouiller.

— ... Et si vous voulez le savoir, ce ne fut pas le seul meurtre survenu à cette époque. (Le major hocha la tête et cligna de l'œil.) J'ai eu quelques idées là-dessus...

La pelote de laine de la tricoteuse roula à terre et le vieil officier se pencha pour la ramasser tout en poursuivant :

— A propos de meurtres, j'ai connu un cas curieux. Je ne veux pas dire que j'en aie été témoin.

Miss Marple lui adressa un sourire encourageant.

— Un jour, des membres de mon club bavardaient — vous savez, ce genre de conversations qui en entraînent d'autres — lorsque l'un d'entre eux, un docteur, commença à raconter une histoire. Il s'agissait d'un de ses malades. Une nuit, un jeune homme se présenta chez lui : sa femme venait de se pendre, et n'ayant pas le téléphone, après l'avoir détachée et allongée sur le lit, il était parti à la recherche d'un médecin. La femme fut sauvée mais de justesse. Son mari semblait être en adoration devant elle. Il pleura comme un enfant. Il avait remarqué que depuis quelque temps elle paraissait bizarre, avec des accès de dépression. Enfin, cette même femme absorba une trop forte dose de somnifères et en mourut... Un bien triste cas...

Le major se tut et secoua la tête plusieurs fois. Devinant

que de toute évidence l'histoire ne s'arrêtait pas là, Miss Marple attendit la suite.

— L'histoire est finie, pensez-vous? Rien de suspect dans tout cela. Une femme névrosée, comme il y en a tant. Mais environ un an plus tard, ce docteur conversait avec un confrère, qui, à un moment donné, lui raconta le cas d'une femme qui avait essayé de se noyer. Son mari, l'ayant repêchée, amena un médecin à son chevet, et la désespérée fut remise sur pied. Or, quelques semaines plus tard, cette malheureuse s'asphyxiait au gaz. Alors mon docteur remarqua :

« — J'ai eu un cas semblable. Un certain Jones (ou quelque chose comme ça). Quel est le nom de votre client ?

— « Je ne m'en souviens plus. Robinson, je crois. Certainement pas Jones.

« Les deux médecins se regardèrent et convinrent de l'étrangeté de la coïncidence. Sur ce, mon docteur sortit de son portefeuille une photographie qu'il présenta à son confrère :

« — Voilà le type en question. Je m'étais rendu chez lui le lendemain pour les constatations d'usage, et je notai la présence d'un magnifique hibiscus [1] juste devant sa porte d'entrée, une variété que je n'avais jamais vue auparavant dans ce pays. Mon appareil photo se trouvant dans ma voiture, je pris un cliché. Au moment où j'appuyais sur l'obturateur, le mari entra dans mon champ de vision ce qui explique sa présence sur le cliché. Je ne pense pas qu'il s'en soit rendu compte.

« Après avoir examiné la photo, le confrère de mon ami s'exclama :

« — Bien que ce soit un peu flou, je suis prêt à jurer qu'il s'agit de mon client.

---

[1] Genre de plante herbacée ou arborescente croissant surtout dans les régions chaudes.

« Je ne sais pas s'ils entreprirent des recherches, mais s'ils le firent elles n'auront abouti à rien. Je suppose que Mr. Jones ou Robinson sut parfaitement effacer ses traces. Une drôle d'histoire, n'est-ce pas ? On ne croirait jamais que ce genre de chose puisse arriver.

— Oh ! si ! je le crois, remarqua tranquillement Miss Marple, je dirai même qu'elles se passent tous les jours.

— Oh ! voyons, n'exagérez-vous pas ?

— Si un homme met au point un plan qui réussit, vous pouvez être sûr qu'il ne s'arrêtera pas.

— Du genre : les mariées noyées dans leur baignoire, hein ?

— En quelque sorte, oui.

— Le docteur me donna cette photo en tant que curiosité...

Le major Palgrave se mit à fourrager dans son portefeuille trop bourré, tout en murmurant :

— Un tas de paperasses là-dedans... je me demande pourquoi je garde tout ça...

La vieille demoiselle le savait : elles représentaient une partie de son bagage ambulant, illustrant son répertoire d'anecdotes. L'événement qu'il venait de lui relater n'avait pas dû se passer exactement ainsi. Elle soupçonnait le major de l'avoir, à son insu, beaucoup enjolivé au fur et à mesure qu'il le racontait.

Palgrave bouleversait toujours ses trésors en marmottant :

— J'avais complètement oublié ça. Une très jolie femme... vous n'auriez jamais pensé que... Voyons, où... Ah ! cela me ramène en arrière... quelles fameuses défenses d'éléphant ! Il faut que je vous montre...

Il s'interrompit, exhiba une petite photo qu'il examina.

— Cela vous intéresserait-il de voir le portrait du meurtrier ?

Il allait passer le cliché à sa compagne, lorsqu'il suspendit brusquement son geste. Ressemblant plus que jamais à une grenouille empaillée, le major parut regarder fixement par-dessus l'épaule de son interlocutrice. On entendait un bruit de pas mêlé à l'écho de conversations animées.

— Je veux être damné si... — je veux dire...

Il fourra précipitamment tous ses papiers dans le portefeuille, qu'il enfouit dans sa poche. Son visage congestionné prit une teinte encore plus violacée, tandis qu'il s'exclamait d'un ton inattendu :

— Comme je vous disais — j'aurais aimé pouvoir vous montrer ces défenses d'éléphant... Le plus grand éléphant que j'aie jamais tiré... Ah! hello! (Sa voix prit une sorte de fausse cordialité.) Regardez qui nous arrive! Le parfait quator : la Faune et la Flore. Qu'avez-vous découvert aujourd'hui ?

Quatre des hôtes de l'hôtel s'approchaient. Ils formaient deux couples, et bien que la vieille demoiselle ne fût pas encore familiarisée avec leur patronymes, elle savait que l'homme fort, avec une touffe de cheveux gris sur le crâne, répondait au nom de « Greg », que la blonde, sa femme, se prénommait « Lucky », et que l'autre ménage — un grand homme mince et une belle femme un peu trop hâlée — s'appelaient Edward et Evelyn. Des botanistes, mais s'intéressant aussi aux oiseaux.

— Rien découvert du tout, répondit Greg. Du moins nous n'avons pas trouvé ce que nous cherchions.

Le major se leva.

— J'ignore si vous connaissez Miss Marple ? Le colonel et Mrs. Hillingdon, Greg et Lucky Dyson.

Ils la saluèrent courtoisement, puis Lucky remarqua à voix haute qu'elle mourrait si elle ne buvait quelque chose immédiatement. Greg fit un signe à Tim Kendal, assis un peu plus loin en compagnie de sa femme et occupé à vérifier des livres de comptes.

— Tim! Apportez-nous à boire (Il se tourna vers les autres.) Punch du Planteur?

Ils acquiescèrent.

— La même chose pour vous, Miss Marple?

L'interpellée remercia mais dit qu'elle préférait un citron pressé.

— Un citron pressé et cinq Punchs du Planteur?

— Joignez-vous à nous, Tim!

— Je le voudrais bien! Mais il faut que je termine ces comptes. Je ne peux pas laisser Molly se charger de toutes les corvées. A propos, il y aura bal ce soir.

— Voilà qui est bien! s'exclama Lucky; malheureusement je suis couverte d'épines. Edward m'a délibérément poussée dans un buisson!

— Un très joli buisson de fleurs roses, remarqua Hillingdon.

— Avec de très jolies épines acérées, aussi! Vous êtes une brute sadique, n'est-ce pas, Edward?

— Il n'est pas comme moi, dit Greg en souriant, qui suis doux comme un agneau.

Evelyn Hillingdon s'assit près de Miss Marple et lui parla de façon fort aimable.

La vieille demoiselle posa son tricot sur ses genoux. Lentement et avec difficulté à cause d'un rhumatisme dans le cou, elle tourna la tête et regarda par-dessus son épaule droite. Non loin de là, s'élevait le grand bungalow occupé par le riche Mr. Rafiel. Mais aucun signe de vie ne l'animait.

Elle répondit avec à propos aux remarques d'Evelyn (vraiment comme les gens se montraient charmants à son égard) mais ses yeux scrutaient pensivement le visage des deux hommes.

Edward Hillingdon paraissait fin, calme, et dégageait un

certain charme. Quant à Greg, fort impétueux, ce devait être un heureux caractère. Lui et Lucky semblaient être Canadiens ou Américains.

Elle regarda le major Palgrave, se comportant toujours avec une bonhomie[1] un peu forcée.

Intéressant, tout ce monde...

[1] En français dans le texte.

CHAPITRE II

Une joyeuse animation régnait ce soir-là dans le *Golden Palm Hotel*. Assise à sa table dans un coin discret, Miss Marple regardait autour d'elle avec curiosité. La grande salle à manger s'ouvrait de trois côtés sur le souffle tiède et parfumé de la mer des Antilles. Des petites lampes individuelles posées sur chaque table, répandaient une lumière tamisée. La plupart des femmes étaient en tenue de soirée : tissus colorés de coton imprime, desquels émergeaient des épaules et des bras bronzés. Miss Marple se remémora la manière délicate dont Joan, la femme de son neveu, l'avait pressée d'accepter un petit chèque « parce que, tante Jane, le climat sera plutôt chaud là-bas, et je ne pense pas que vous ayez les vêtements légers appropriés ». Jane Marple l'avait remerciée et accepté le chèque. Elle atteignait l'âge où il s'avère naturel d'aider les jeunes mais aussi de se laisser dorloter par ceux qui réussissent dans la vie. Elle ne pouvait cependant se décider à acheter une toilette trop mince, car elle ne ressentait jamais autre chose qu'une agréable sensation de chaleur, même sous le climat le plus excessif, et la température de St. Honoré ne pouvait être appelée « chaleur tropicale ». Pour l'heure, elle était parée de dentelle grise, selon la meilleure tradition des dames de la bonne société provinciale anglaise. Non que Miss Marple fût la seule personne d'un certain âge présente. On voyait dans la salle des spécimens de toute sorte : vieux taïcoun[1], accompagnés de leur troisième ou quatrième femme, couples venus du nord de l'Angleterre, une famille exubérante débarquée de Caracas, au complet, avec les enfants. Les différentes contrées de l'Amérique du Sud étaient bien représentées. Un peu partout on parlait espagnol et portugais. Derrière tout cela, un solide fonds britannique composé de deux ecclésiastiques, d'un docteur et d'un juge retraité. Il y avait même une famille chinoise. Le service était en majorité assuré par des femmes, de grandes filles noires au port de tête majestueux, vêtues de tenues blanches empesées, mais le maître d'hôtel expérimenté se révélait Italien, le sommelier Français, et surveillant l'ensemble, l'œil attentif de Tim Kendal, qui allait d'une table à l'autre pour échanger des remarques aimables avec ses hôtes. Sa femme, une belle fille aux cheveux d'un blond naturel, à la bouche un peu grande mais qui riait facilement, le secondait. Molly Kendal ne se montrait pas souvent de mauvaise humeur. Son personnel la servait avec entrain et elle s'adaptait complaisamment aux exigences des divers pensionnaires, riant et flirtant avec les hommes mûrs et complimentant les jeunes femmes sur leur toilette.

— Oh! quelle merveilleuse robe vous portez ce soir, Mrs. Dyson.

Mais de l'avis de Miss Marple, elle était très bien elle-même dans un fourreau blanc complété d'une écharpe de dentelle vert pâle posée sur les épaules et que Lucky palpa au passage.

---

[1] Aussi « shogoun », chef militaire qui régna réellement sur le Japon pendant toute la période féodale.
Dans le texte : hommes d'affaires retraités.

— La jolie couleur! J'aimerais en avoir une pareille!

— Vous pouvez en trouver ici au magasin, lui répondit Molly qui continua sa tournée.

Elle ne s'arrêta pas à la table de Miss Marple; elle laissait à son mari le soin de s'occuper des dames âgées. « Les chères vieilles choses préfèrent de beaucoup avoir affaire à un homme », avait-elle l'habitude de dire. Tim Kendal s'approchait justement et s'inclinait devant Miss Marple.

— Ne désirez-vous rien de particulier? Parce que vous n'auriez qu'à me le demander et je vous le ferais préparer. La nourriture d'hôtel et les spécialités semi-tropicales ne sont pas exactement ce à quoi vous étiez habituée en Angleterre, je pense?

La vieille demoiselle sourit et affirma que c'était là un des plaisirs que l'on trouvait en se rendant à l'étranger.

— Alors, c'est très bien. Mais s'il y a quelque chose...

— Que suggérez-vous?

— Eh bien... un *bread and butter pudd' g*[1] peut-être?...

— Pour le moment j'estime n'avoir nul besoin d'un *bread and butter pudding*.

Elle prit sa cuiller et commença à déguster en gourmet son *passion fruit sundea*[2].

A ce moment l'orchestre typique[3] commença à jouer. Il était une des principales attractions des îles. A la vérité, Miss Marple s'en serait fort bien passé. Cela faisait un bruit affreux, assourdissant. Le plaisir que tous les autres

[1] Dessert très anglais fait avec du pain et du beurre.

[2] Fruits exotiques recouverts d'une glace, servis en dessert.

[3] Formation où les joueurs utilisent toutes sortes d'instruments en acier.

convives prenaient à l'écouter apparaissait pourtant indéniable, et avec sa jeunesse d'esprit, Jeanne Marple décida que puisque cet orchestre existait, elle devait trouver le moyen, tant bien que mal, d'apprendre à l'apprécier. Elle ne pouvait exiger de Tim Kendal qu'il fît renaître d'un coup de baguette magique les accords harmonieux du *Beau Danube Bleu* (tellement gracieuse la valse!). Vraiment curieuse la façon dont les gens dansaient aujourd'hui : gesticulant, semblant être en transes au point d'en apparaître difformes. Ma foi, il faut bien que les jeunes s'amusent... Elle interrompit le cours de ses pensées pour noter qu'en réalité il y avait très peu de jeunes parmi tous ces gens. La danse, des lumières tamisées, un orchestre et tout cela semblait fait pour les jeunes. Où donc se trouvait la jeunesse? En train d'étudier dans les universités — ou bien travaillant, avec quinze jours de vacances par an. Un endroit comme celui-ci était trop éloigné et trop coûteux. Seuls les gens de trente ou quarante ans pouvaient s'offrir cette existence joyeuse et oisive, ainsi que les vieux messieurs qui essayaient de suivre (ou de restreindre) le train de vie de leurs jeunes femmes. Dommage, en un certain sens...

Elle chercha vainement à découvrir des jeunes. Il y avait bien Mrs. Kendal qui ne comptait probablement pas plus de vingt-deux ou vingt-trois ans, et qui semblait s'amuser — mais elle accomplissait là une tâche.

A une table voisine, le chanoine Prescott et sa sœur firent signe à Miss Marple de se joindre à eux pour le café. Elle accepta. Miss Prescott était une femme mince, d'allure sévère, et le chanoine un homme rond et sanguin, respirait la cordialité.

Le café apporté, on écarta un peu les chaises des tables, et Miss Prescott ouvrant son sac, en sortit un de ces affreux tapis de table qu'elle se mit à ourler tout en racontant les événements de la journée. Dans la matinée son frère et elle avaient visité une nouvelle école de filles, après la sieste de l'après-midi, ils avaient traversé une plantation de cannes pour aller prendre le thé dans une pension où séjournaient des amis.

Les Prescott connaissant l'hôtel *Golden Palm* depuis bien plus longtemps que Miss Marple, ils pouvaient l'éclairer sur certains des autres pensionnaires. Par exemple, ce très vieil homme — Mr. Rafiel — venait ici tous les ans. Incroyablement riche, il possédait une chaîne de super-marchés dans le nord de l'Angleterre. La jeune femme à ses côtés, Esther Walters — une veuve — était sa secrétaire. Rien que de très convenable dans leurs relations. D'ailleurs, Mr. Rafiel comptait près de quatre-vingts ans.

Miss Marple accueillit cette remarque avec un hochement de tête approbatif. De son côté le chanoine insista :

— Une bien charmante jeune femme! Je crois que sa mère, veuve également, vit à Chichester.

— Mr. Rafiel a aussi un valet avec lui, ou plutôt une sorte de garde-malade — on dit qu'il est masseur de son métier. Il s'appelle Jackson. Le pauvre Mr. Rafiel est pratiquement paralysé. C'est triste, n'est-ce pas? Avec tout l'argent qu'il possède.

Son frère approuva :

— Il est très bon et pratique la charité.

Les dîneurs se regroupaient, certains s'éloignant de l'orchestre, d'autres s'en rapprochant. Le major Palgrave s'était joint au quatuor Hillingdon-Dyson.

— A propos de ces gens..., chuchota Miss Prescott, inutilement puisque la musique couvrait sa voix.

— J'allais justement vous interroger à leur sujet...

— Ils se trouvaient là, la saison dernière. Ils passent trois mois chaque année dans la mer des Antilles, allant d'île en île. L'homme grand et mince est le colonel Hillingdon et la brune sa femme — botanistes tous les deux. Les autres, Mr. et Mrs. Gregory Dyson — sont des Américains. Je crois que lui étudie particulière ment les papillons mais, tous quatre s'intéressent aux oiseaux.

— C'est tellement agréable pour les gens d'avoir une distraction de plein air! souligna le chanoine avec enjouement.

— Je ne pense pas qu'ils aimeraient vous entendre appeler cela distraction, Jeremy. Ils publient des articles dans le *National Geographic* et dans le *Royal Horticultural Journal*. Ils se prennent très au sérieux.

A ce moment un puissant éclat de rire s'éleva de la table occupée par le quatuor et domina le tumulte de l'orchestre. Gregory Dyson, le dos appuyé à sa chaise, martelait la table de son poing tandis que sa femme protestait et que le major Palgrave, vidant son verre, approuvait. Ils n'apparaissaient pas pour l'heure comme des gens se prenant tellement au sérieux.

Miss Prescott susurra d'un ton acide :

— Avec sa tension le major ne devrait pas tant boire.

Une nouvelle tournée de *Punch du Planteur* fut apportée à la table des Hillingdon-Dyson.

— C'est amusant d'assortir les couples, reprit Miss Marple, cet après-midi je ne devinais pas qui était marié avec qui.

Après une toux légère, Miss Prescott déclara :

— Sur ce point...

— Sur ce point, Joan, il vaut mieux ne pas insister, avertit le chanoine.

— Mais, Jeremy, je n'ai pas l'intention d'insister, simplement je voulais rappeler que l'année dernière, pour je ne sais quelle raison, nous nous étions figuré que

24

Mrs. Dyson était Mrs. Hillingdon jusqu'à ce que nous soyons détrompés.

— C'est curieux les impressions que l'on a, n'est-ce pas? suggéra innocemment la douce Miss Marple.

Son regard rencontra celui de Miss Prescott et il y eut entre elles un de ces éclairs de compréhension dont les femmes ont le secret. Un homme plus susceptible que le chanoine Prescott se serait senti « de trop »[1], alors que ses deux compagnes échangeaient un nouveau signe d'intelligence signifiant : « Attendons une autre occasion... »

Miss Marple s'enquit :

— Mr. Dyson appelle sa femme « Luchy ». Est-ce son vrai nom ou un surnom?

— On ne conçoit guère que ce puisse être là un prénom.

— Je l'ai demandé un jour à Mr. Dyson, intervint le chanoine. Il m'a confié l'appeler ainsi parce qu'elle est sa mascotte. Il prétend que s'il la perdait, sa chance l'abandonnerait. C'est joliment dit, ma foi.

— Ce Mr. Dyson aime à plaisanter, renchérit Miss Prescott.

Le chanoine examina sa sœur d'un air interrogateur.

L'orchestre éclata en une cacophonie de sons sauvages, et un groupe de danseurs s'élancèrent vers la piste. Le chanoine et les deux demoiselles tournèrent leurs chaises pour suivre la danse que Miss Marple appréciait plus que la musique. Elle aimait le glissement des pas et le balancement rythmique des corps, qui représentaient à ses yeux la Vie, exerçant sur les spectateurs une sorte d'envoûtement.

Ce soir, mêlée à son nouvel entourage, elle commença pour la première fois à se sentir un peu chez elle... Jusqu'à présent elle n'avait pas découvert ce que d'ordinaire elle

---

[1] En français dans le texte.

trouvait si facilement : des points communs entre ceux qu'elle côtoyait et d'autres gens qu'elle connaissait intimement. Peut-être, jusqu'ici, avait-elle été éblouie par les riches toilettes et les couleurs exotiques, mais elle avait la conviction que bientôt, elle pourrait établir des comparaisons intéressantes. Molly Kendal, par exemple, ressemblait à cette charmante jeune fille dont elle ne parvenait pas à se rappeler le nom, une receveuse de l'autobus du marché vous aidant toujours au moment où vous montiez, et ne tirant la sonnette qu'après s'être assurée que vous étiez bien assis. Tim Kendal lui rappelait le maître d'hôtel du *Royal George* à Medchester. Sûr de lui et en même temps inquiet. Quant au major Palgrave, impossible de le différencier du général Leroy, du capitaine Flemming, de l'amiral Wicklow et du commandant Richardson. Par contre, avec Greg les ressemblances s'avéraient plus difficiles à établir du fait de sa nationalité américaine. Un peu de sir George Trollope, si plein d'humour aux réunions de la Défense Civile ? Ou de Mr. Murdoch le boucher ? Mr. Murdoch qui jouissait d'une assez mauvaise réputation (certains disaient qu'il ne s'agissait là que de ragots, mais Mr. Murdoch lui-même aimait à encourager ces rumeurs). Pour Lucky c'était plus facile : Marlène des « Trois Couronnes ». Evelyn Hillingdon ? On la voyait très bien tenir les rôles nécessitant de grandes femmes minces et hâlées : lady Coraline Wolfe, la première épouse de Peter Wolfe qui se suicida, ou bien Leslie James, si calme et qui montrait rarement ce qu'elle pensait. Un jour, elle vendit sa maison et disparut sans jamais donner de ses nouvelles. Le colonel Hillingdon ? Au premier abord rien de particulier. Il faudrait qu'elle fît plus amplement connaissance avec lui. Un de ces hommes calmes aux belles manières, dont on ne savait jamais ce qu'ils avaient dans la tête. Quelquefois ils vous surprenaient. Le major Harper, se souvint-elle, s'était tranquillement ouvert la gorge un matin. Personne ne devina jamais pourquoi, sauf Miss Marple — mais était-ce autre chose qu'une intuition? Les yeux de la vieille demoiselle se dirigèrent vers la table de Mr. Rafiel ressemblant à un oiseau de proie déplumé. Ses vêtements flottaient autour de son corps décharné. Avait-il soixante-dix, quatre-vingts, voire quatre-vingt-dix ans? Avec son regard dur, il lui arrivait souvent d'être insolent, mais les gens ne s'en offensaient guère non seulement parce qu'il était très riche mais encore parce qu'il possédait une personnalité si écrasante qu'il vous hypnotisait au point de vous faire admettre son droit d'être insolent si bon lui semblait.

Près de lui se tenait sa secrétaire, Mrs. Walters, aux cheveux de la couleur des blés mûrs et au visage avenant. Mr. Rafiel la rudoyait souvent mais elle ne paraissait pas s'en formaliser. Elle lui servait surtout de dame de compagnie et se conduisait comme une infirmière accomplie. Peut-être avait-elle été infirmière?

Un jeune homme, grand et bien proportionné, vêtu d'une veste blanche, vint se placer près de la chaise de Mr. Rafiel. Le vieil homme leva les yeux, acquiesça et l'invita d'un geste à s'asseoir. Le garçon obéit. « Voilà, Mr. Jackson, pensa Miss Marple, son valet de chambre », et elle examina le nouveau venu avec attention.

Dans le bar désert, Molly Kendal s'étira et enleva ses chaussures. Tim arrivant de la terrasse, la rejoignit. A cette heure-là, le bar leur appartenait.

— Fatiguée, chérie?

— Un peu. J'ai mal aux pieds ce soir.

— Ça ne vous dépasse pas un peu tout ça? C'est un travail pénible.

Il la regarda anxieusement et elle lui sourit.

— Oh! Tim, ne soyez pas ridicule. J'adore être ici. Je vis le genre de rêve que j'ai toujours souhaité vivre.

— Oui, ce ne serait pas mal si nous étions seulement des hôtes comme les autres. Mais tout diriger... quelle responsabilité!

— Que voulez-vous, on ne peut rien avoir sans effort, n'est-ce pas?

— Vous pensez qu'on se débrouille bien et qu'on finira par gagner la partie.

— Mais bien sûr, voyons!

— Vous ne croyez pas que les gens se disent : « Ce n'est pas la même chose que du temps des Sanderson? »

— Quelques-uns, sans doute, comme toujours, des grincheux... Mais je suis sûre que nous réussirons mieux que les Sanderson. D'ailleurs, nous sommes plus jeunes. Vous, Tim, vous savez sourire avec à-propos aux vieilles chattes et vous arranger pour faire un brin de cour aux désespérées de quarante ou cinquante ans. De mon côté, j'agis de même avec les vieux gentlemen en leur donnant l'impression qu'ils sont encore très attirants — ou bien je joue le rôle de la douce petite fille sentimentale que certains d'entre eux auraient aimé avoir pour fille. En vérité, nous nous adaptons à nos hôtes de façon formidable.

— Si vous le dites... Parfois j'ai peur. Nous avons tout risqué pour essayer de faire quelque chose de cet endroit. J'ai abandonné mon métier...

— Et vous avez eu raison, coupa rapidement Molly. Ce travail vous détruisait moralement.

Il sourit et l'embrassa sur le bout du nez.

— Je vous assure, Tim, que nous marchons vers le succès. Pourquoi tous ces soucis?

— C'est malgré moi. Je pense toujours : et si quelque chose allait de travers...

— Quelle sorte de chose?

— Oh! je ne sais pas! Quelqu'un peut se noyer, par exemple?

— Oh! non! Nous avons une des plages les plus sûres et aussi ce gros lourdeau de Suédois qui veille tout le temps.

— Je suis fou, conclut Tim.

Après une hésitation, il ajouta :

— Et vos rêves étranges les avez-vous encore?

— Oh! ne vous préoccupez pas de ces bêtises.

Et elle lui sourit.

CHAPITRE III

Comme à l'accoutumée on servait à Miss Marple son petit déjeuner au lit. Du thé, un œuf à la coque et une tranche de *Paw Paw*.

Les fruits sur l'île, jugea la vieille demoiselle, avaient tous le même goût. Elle aurait tellement aimé savourer une belle pomme... mais les pommes semblaient être inconnues ici.

Arrivée au terme de sa première semaine de séjour, Miss Marple avait perdu l'habitude de demander des nouvelles du temps, car ici il ne changeait jamais — toujours au beau fixe! Oh! les multiples variations du climat tout au long d'une journée anglaise, soupirait-elle. Bien sûr, il y avait des ouragans ou autres phénomènes de cette sorte. Mais les ouragans n'entraient pas dans le temps au sens qu'elle lui donnait. Ils relevaient plutôt de la volonté divine. Une pluie violente arrivait sans crier gare, durait cinq minutes et s'arrêtait brusquement. Choses et gens ruisselaient d'eau pour se retrouver secs quelques instants plus tard.

La jeune servante antillaise souhaita une bonne journée à Miss Marple en lui posant le plateau sur les genoux. Avec son joli sourire, elle paraissait si heureuse de vivre. De charmantes natures toutes ces filles. Quel dommage qu'elles soient si peu disposées à se marier. Cela tourmentait le chanoine Prescott. Beaucoup de baptêmes, disait-il pour se consoler, mais pas de mariages.

Tout en déjeunant, Miss Marple songea à la manière dont elle passerait sa journée. A la vérité cela ne demandait pas beaucoup de réflexion. Elle se lèverait quand bon lui semblerait, ne se hâtant pas à cause de la chaleur et de ses doigts devenus malhabiles. Puis, elle se reposerait environ dix minutes, prendrait son tricot et se rendrait sans se presser à l'hôtel où elle choisirait l'endroit où elle s'installerait, sur la terrasse face à la mer, ou sur la plage d'où elle pourrait contempler les nageurs et les enfants. D'ordinaire, elle optait pour la plage. Dans l'après-midi, après sa sieste, peut-être irait-elle faire un tour en voiture. En bref, aujourd'hui serait un jour comme les autres.

Miss Marple exécutant le programme prévu, s'avançait à petits pas le long du chemin qui conduisait à l'hôtel, lorsqu'elle rencontra Molly Kendal. Pour une fois, la jeune femme toujours radieuse, ne souriait pas. Son air de détresse lui ressemblait si peu que la promeneuse lui demanda :

— Ma chère, que se passe-t-il donc ?

Molly secouant la tête, hésita, puis se décida :

— Il faudra bien que vous l'appreniez, comme tout le monde d'ailleurs. Le major Palgrave est mort.

— Mort ?

— Dans la nuit.

— Mon Dieu, je suis désolée !

— C'est épouvantable que ce soit arrivé ici. Tout le monde va se sentir déprimé. Évidemment... il était assez âgé.

— Hier encore il semblait pourtant en forme et joyeux, déclara Miss Marple légèrement froissée par la remarque sous-entendant que toute personne d'un âge avancé était susceptible de mourir d'un instant à l'autre.

— Il avait beaucoup de tension.

— Mais à l'heure actuelle on soigne ce genre de maladie. La science fait tant de merveilles.

— D'accord, mais peut-être négligeait-il de suivre les prescriptions de son médecin? A moins qu'il n'ait trop absorbé de ces pilules dangereuses comme celles d'insuline.

Jeanne Marple ne pensait pas que le diabète et la tension se traitaient de la même manière.

— Qu'en dit le docteur?

— Oh! le Dr Graham, qui vit dans l'hôtel et est à la retraite, a examiné le corps superficiellement. Les autorités locales sont venues pour délivrer le permis d'inhumer. Tout semble très normal. C'est le genre de chose à laquelle il faut s'attendre lorsqu'une personne a de la tension particulièrement si on abuse un peu trop de l'alcool, et le major Palgrave ne se montrait vraiment pas raisonnable de ce côté-là. Par exemple, la nuit dernière.

— Oui, j'ai remarqué.

— Il n'a pas eu de chance — mais que voulez-vous, on ne peut pas vivre une éternité, n'est-ce pas? En tout cas, c'est bien embêtant — pour Tim et pour moi, je veux dire. On va peut-être insinuer que la nourriture n'était pas de bonne qualité.

— Mais voyons, les symptômes d'un accident dû à une nourriture avariée sont complètement différents de ceux que procure une trop forte tension.

— Bien sûr. Mais les gens médisent si volontiers. Imaginez qu'ils déclarent que ce décès est dû aux aliments? Qu'ils quittent la maison et s'en aillent le raconter ailleurs?

— Je ne pense vraiment pas que vous deviez vous faire du souci. Comme vous le souligniez, il y a un instant, un homme de l'âge du major Palgrave — il devait avoir plus de soixante-dix ans — est normalement exposé à mourir d'un instant à l'autre. La plupart des pensionnaires estimeront que c'est là un événement tout à fait ordinaire, triste sans doute, mais en rien anormal.

— Si seulement, remarqua Molly avec amertume, cette mort n'avait pas été si soudaine.

Elle avait, en effet, été très rapide, jugea Miss Marple en poursuivant son chemin. Elle revit le major riant et plaisantant en compagnie des Hillingdon et des Dyson.

Les Hillingdon et les Dyson... La vieille demoiselle ralentit sa marche... Tout à coup, elle s'immobilisa. Au lieu de se rendre à la plage, elle décida de s'installer dans un coin ombragé de la terrasse. Elle prit son ouvrage et les aiguilles se croisèrent, se heurtant sur un rythme rapide, comme si elles prétendaient suivre le rythme des pensées de la tricoteuse. Elle n'aimait pas cette mort — elle ne l'aimait même pas du tout, car elle arrivait trop bien à propos. Elle repassa en mémoire les événements de la veille.

Le major Palgrave et ses histoires... Histoires toutes semblables qui vous dispensaient de l'écouter. Peut-être quand même aurait-il mieux valu qu'elle fût un peu plus attentive. Kenya — il avait parlé du Kenya, puis de l'Inde — la frontière du Nord-Ouest[1], et puis, pour une raison quelconque, il avait enchaîné sur la criminalité, et pourtant même à ce moment-là, elle n'avait pas vraiment écouté... un scandale notoire qui s'était déroulé ici, dont les journaux avaient parlé. Voyons, c'est seulement après, lorsqu'il lui eut ramassé sa pelote de laine, qu'il commença à l'entretenir d'une photo... La photo d'un meurtrier. Miss Marple ferma les yeux, essayant de reconstituer le déroulement de cette affaire. Une histoire plutôt confuse — racontée au major par un médecin à son club — ou au club de quelqu'un d'autre ? Le médecin la tenait lui-même d'un collègue. L'un de ces docteurs possédait la photo de quelqu'un s'encadrant dans une porte, et ce quelqu'un serait un meurtrier.

A présent, les détails lui revenaient. Et le major qui possédait cette photo lui avait offert de la lui montrer.

[1] Du temps de l'Empire des Indes.

Sortant son portefeuille de sa poche, il s'était mis à y fouiller tout en poursuivant ses commentaires.

Puis, elle se rappela que le major, levant les yeux, avait regardé une personne placée juste derrière l'épaule de son interlocutrice. Son visage parut alors se congestionner plus que de coutume tandis qu'il refourrait tous ses papiers dans son portefeuille avec des mains tremblantes et se mettait à parler d'une voix fausse, de défenses d'éléphants! Un instant plus tard, les Hillingdon et les Dyson les rejoignaient...

C'est à ce moment-là que, tournant la tête, elle avait jeté un coup d'œil par-dessus son épaule droite sans que rien de suspect n'ait retenu son attention. Sur sa gauche, à quelque distance, dans la direction de l'hôtel, se tenaient Tim Kendal et sa femme, voisinant avec une famille vénézuélienne. Mais le regard du major Palgrave ne se dirigeait pas dans cette direction.

Miss Marple médita jusqu'à l'heure du déjeuner et après le repas, elle renonça à sa promenade en voiture. Elle envoya un message au Dr Graham, expliquant que ne se sentant pas très bien, elle le priait de venir la voir.

CHAPITRE IV

Le Dr Graham, un homme d'environ soixante-cinq ans, était installé dans la mer des Antilles depuis de nombreuses années. Arrivé au moment de la retraite, il confiait la plupart de ses clients à ses collègues antillais.

Il salua aimablement la vieille demoiselle et s'informa de son malaise. A l'âge de Miss Marple, il se trouvait toujours quelque indisposition bénigne offrant matière à discussion avec une légère exagération de la part du patient. Elle hésita entre « son épaule » et « son genou » mais opta finalement pour le genou qui, dit-elle, se rappelait toujours à son souvenir.

Le Dr Graham se retint pour ne pas faire remarquer à sa cliente qu'elle n'était plus jeune et que cette petite misère devenait malheureusement normale. Cependant, il prescrivit quelques-unes de ces pilules qui constituent la base des ordonnances médicales. Sachant, par expérience, que beaucoup de vieilles personnes venant à St. Honoré pour la première fois se sentaient esseulées, il s'attarda un moment avec la nouvelle pensionnaire.

« Un homme charmant », pensait cette dernière. Je me sens vraiment coupable de lui raconter des mensonges, mais c'est le seul moyen dont je dispose.

Ayant reçu une éducation où le respect de la vérité tenait une grande place, Miss Marple attachait beaucoup d'importance à la franchise. Toutefois, dans certaines occasions, lorsqu'elle pensait devoir agir ainsi, elle pouvait raconter des mensonges avec une étonnante sincérité.

Elle s'éclaircit la voix et déclara timidement :

— Il y a quelque chose, docteur Graham, que j'aimerais vous demander. Oh! ce n'est pas bien important, mais cela me tient à cœur. J'espère que vous comprendrez et que vous ne me tiendrez pas rigueur de ma curiosité.

A cette exorde le Dr Graham répliqua aimablement :

— Quelque chose vous inquiète? Dans ce cas, je serai heureux de vous aider.

— C'est au sujet du major Palgrave. La nouvelle de sa mort m'a bouleversée. J'ai subi un véritable choc ce matin en l'apprenant.

— Oui, ce fut vraiment très soudain. Il semblait tellement en forme hier soir encore.

Il s'exprimait sur un ton conventionnel car pour lui la mort du major Palgrave ne présentait rien que de très banal.

Miss Marple se demanda si son imagination ne lui jouait pas un tour. Est-ce que la tendance soupçonneuse de son esprit ne s'emballait pas? Peut-être ne devrait-elle plus faire confiance à son propre jugement. Dans cette affaire il ne s'agissait pas d'une certitude mais plutôt d'une légère suspicion. En tout cas il n'était plus temps de reculer. Elle reprit :

— Nous bavardions ensemble hier après-midi. Il me racontait des épisodes de sa vie qui fut si mouvementée et si passionnante.

— En effet, approuva le Dr Graham qui avait eu plusieurs fois l'occasion de s'ennuyer en écoutant les souvenirs du major.

— Puis il évoqua sa famille ou plutôt son enfance, et de mon côté je lui parlai de mes neveux et nièces. Il m'écouta avec beaucoup de sympathie. Je lui montrai une photo que j'avais avec moi de l'un d'eux. Un si gentil garçon...

— Vraiment?

Le Dr Graham se demandait où Miss Marple voulait en venir.

— Je lui tendais la photo qu'il regarda au moment où ces gens — ces gens si charmants qui collectionnent des fleurs sauvages et des papillons — le colonel et Mrs. Hillingdon, c'est leur nom, je crois?

— En effet, les Hillingdon et les Dyson.

— Ils arrivèrent parlant, riant et se joignirent à nous. Ils commandèrent des boissons et nous bavardâmes tous ensemble. Ce fut très plaisant. Mais sans y prendre garde, le major dut ranger la photo de Denzil! J'y repensai hier soir et n'y prêtai pas grande attention sur le moment mais je m'en souvins après et je me dis : il ne faut pas que j'oublie de demander au major la photo de Denzyl! J'y repensai hier soir au cours de la danse alors que l'orchestre jouait, mais je ne voulus pas l'aborder, car avec ces deux couples charmants il formait un petit groupe très gai. J'avais l'intention de le lui rappeler ce matin. Seulement, ce matin...

— Oh, oui, je comprends très bien. Et vous, naturellement, vous souhaitez récupérer votre photo?

Miss Marple inclina la tête affirmativement.

— C'est la seule photo que je garde et je n'en possède même pas le négatif. Je serais désolée de la perdre parce que le pauvre Denzil a disparu il y a cinq ou six ans et je pensais, j'espérais — je suis très gênée — mais, vous serait-il possible de la récupérer pour moi? Je ne vois vraiment pas à qui d'autre m'adresser. J'ignore qui va s'occuper de toutes les affaires du major. Tout est tellement compliqué. On risquerait de me trouver insupportable. Personne ne peut comprendre la valeur que ce portrait a pour moi.

— Je comprends très bien, Miss. C'est un sentiment qui vous honore. En fait, je dois rencontrer les autorités bientôt. L'enterrement aura lieu demain et quelqu'un viendra du bureau de l'administrateur pour examiner les affaires du major avant de convoquer ses proches parents, bref les formalités d'usage. Pourriez-vous me décrire la photo?

— Elle représente la façade d'une maison, et quelqu'un — je veux dire Denzyl — s'encadrant dans la porte. Celui de mes neveux qui prit le cliché s'intéresse aux expositions de fleurs et il photographiait un hibiscus, je crois. L'ensemble est un peu flou, mais je l'aimais bien et ne m'en séparais jamais.

— Je pense que nous n'aurons pas de difficulté à la retrouver.

Il se leva. Miss Marple lui sourit.

— Vous êtes très gentil, docteur, vraiment très gentil. Vous me pardonnez n'est-ce pas?

— Mais, bien sûr. Maintenant ne vous inquiétez plus. Et à propos de votre genou essayez quelques exercices tous les jours, pas trop cependant. Je vous ferai porter vos pilules. Vous en prendrez une, trois fois par jour.

CHAPITRE V

Le service funèbre eut lieu le jour suivant. Miss Marple y assista en compagnie de Miss Prescott. Le chanoine officiait, après quoi la vie reprit son cours normal.

La mort du major Palgrave se transforma en un simple incident, un incident désagréable, sans doute, mais de ceux qui s'oublient vite. Le soleil et la mer continuèrent à occuper les estivants dont une macabre visiteuse avait interrompu les distractions, en projetant momentanément sur leurs jeux une ombre déjà dissipée. Après tout, personne n'avait bien connu le défunt, un vieillard plutôt bavard du genre de ceux que l'on rencontre dans les clubs. Après une existence vagabonde — sa femme disparue depuis de longues années — il était mort aussi solitaire qu'il avait vécu, ayant promené sa solitude partout où il y avait du monde, ce qui lui assura une vie somme toute agréable. Maintenant, ce bon vivant n'était plus, enterré, dans une sorte d'indifférence générale, et demain il n'y aurait personne pour lui accorder ne fusse qu'une pensée. La seule à qui il manquerait et qui regretterait son absence serait Miss Marple. Non pas parce qu'elle éprouvait une affection particulière envers lui mais parce qu'il représentait un monde qu'elle connaissait. Elle pensait que lorsqu'on vieillit, on prend de plus en plus l'habitude d'écouter les autres, peut-être sans y prêter grand intérêt mais entre le major et elle il y avait eu cette courtoisie qui est de règle chez les gens d'autrefois. Elle ne s'affligeait pas outre mesure de la disparition du major Palgrave mais son absence lui pesait.

Dans l'après-midi qui suivit l'enterrement, comme elle se trouvait assise tricotant dans son coin favori, le Dr Graham la rejoignit. Elle posa son ouvrage et le salua. Tout de suite il lui dit en s'excusant :

— J'ai bien peur de vous apporter des nouvelles peu réconfortantes, Miss Marple.

— Vraiment ?

— Oui. Nous n'avons pas trouvé votre précieuse photo. Je suis navré de vous décevoir.

— Oh ! cela n'a pas tellement d'importance au fond. Je me rends compte que ce n'était de ma part que l'effet d'une sentimentalité excessive. Je ne le réalise que maintenant.

— Nous avons regardé dans le portefeuille du major et dans ses affaires, en vain. Seulement des lettres, des coupures de journaux, ainsi que quelques vieilles photos mais aucune rappelant celle que vous me décriviez.

— Quelle malchance ! Tant pis, on n'y peut rien... Merci beaucoup, docteur Graham, pour la corvée que je vous ai infligée.

— Ce n'était pas une corvée, et je sais par expérience personnelle combien les futilités familiales ont de l'importance, tout particulièrement lorsque l'on est seul et que les années s'accumulent derrière nous.

Le médecin pensait que le major ayant sans doute découvert le cliché en cherchant dans son portefeuille, et ne se rappelant plus pourquoi et comment il était là, l'avait déchiré, malheureusement pour sa cliente qui semblait y tenir. Néanmoins, elle paraissait prendre la chose avec beaucoup de sérénité et de philosophie.

A la vérité Miss Marple n'était ni sereine ni philosophe. Prise de court, il lui fallait un certain temps pour réfléchir à la suite des événements. Elle commença par entraîner le docteur dans une conversation avec une ardeur qu'elle ne chercha pas à dissimuler. Le médecin jugeant que son flot de paroles résultait d'une solitude difficilement supportée, s'efforça de lui répondre sur le même ton. Il lui parla de la vie à St. Honoré et des divers endroits intéressants que Miss Marple aimerait peut-être visiter. Il ne se rendit pas compte de quelle façon la conversation revint sur le major Palgrave.

— C'est triste, remarquait son interlocutrice, de penser que quelqu'un meurt ainsi loin de chez lui, bien que d'après ce qu'il m'a confié, il n'avait pas de proches parents et vivait seul à Londres.

— Il voyageait beaucoup, surtout pendant la mauvaise saison car il ne prisait guère nos hivers anglais. Je ne l'en blâme vraiment pas.

— Moi non plus. Et peut-être avait-il une raison spéciale, une faiblesse des poumons qui l'obligeait à passer les mauvais mois au soleil ?

— Non, je ne le pense pas.

— Il paraît qu'il souffrait de la tension, la maladie à la mode.

— C'est lui qui vous l'a dit ?

— Ma foi non. Je crois que quelqu'un y a fait allusion devant moi. En tout cas, cela expliquerait sa mort subite ?

— Pas nécessairement. De nos jours on soigne très bien la tension.

— Quoi qu'il en soit sa disparition ne vous a pas surpris ?

— Eh bien ! si, figurez-vous. Il me paraissait en excellente santé. Il est vrai toutefois que je n'ai jamais eu l'occasion de l'examiner.

— Quelqu'un — un docteur — peut-il deviner, simplement en l'observant, si un homme a ou non de la tension ?

— Sûrement pas ! Il faut user d'un tensiomètre.

— C'est cette désagréable bande de caoutchouc que l'on

vous met autour du bras et que l'on gonfle? Oh! je connais, je déteste ça. Heureusement que d'après mon médecin ma tension est très bonne pour mon âge... Notez cependant que le major aimait assez le *Punch du Planteur*.

— Je sais. L'alcool ne fait pas bon ménage avec la tension.

— Il existe des médicaments pour réduire la tension, n'est-ce pas?

— Bien sûr, de toutes sortes, et on en a d'ailleurs trouvé dans la chambre du major — de la Serenite.

Le docteur se leva.

— Et à propos, comment va le genou?

— Beaucoup mieux.

— Je suis désolé de n'avoir pu vous rendre le service que vous me demandiez.

— Vous avez été très aimable et je me sens très coupable de vous avoir retenu si longtemps... Vous avez bien dit qu'il n'y avait pas de photographie dans le portefeuille du major?

— Si... une très vieille, mais du major lui-même en jeune homme monté sur un poney, et une autre où il figurait un pied sur un tigre mort... Je vous assure que j'ai regardé attentivement sans trouver parmi les clichés celui qui vous intéressait.

— Je suis convaincue que vous avez cherché avec soin — ce n'est pas ce que je voulais dire — mais cette photo me tenait à cœur. Nous avons tous tendance à garder ainsi des choses sans grande importance.

— Les trésors du passé, sourit le médecin qui la salua et prit congé.

Miss Marple abandonnant son tricot, contempla les palmiers et la mer. Elle possédait maintenant un indice auquel elle devait réfléchir pour essayer d'en comprendre la signification. La disparition de la photo ne s'expliquait pas, car le major ne s'en serait pas subitement séparé. Il l'avait replacée dans son portefeuille où l'on aurait dû la récupérer. Un voleur se serait intéressé à l'argent, pas à une photo. A moins qu'il n'ait eu un motif personnel pour agir de la sorte. Le visage de la vieille demoiselle se fit grave. Devait-elle ou non troubler la paix que le major Palgrave venait de trouver ? Elle se récita : *Duncan est mort. Après une Vie agitée et fiévreuse il dort tranquille.* Shakespeare a toujours réponse à tout.

Rien ne pouvait plus nuire au major maintenant. Là où il était, aucun danger ne l'atteindrait. Fallait-il appeler coïncidence le fait qu'il mourut juste cette nuit-là ? Ou s'agissait-il d'autre chose ? Les médecins acceptent la fin des vieux messieurs avec tant de facilité... Et plus encore quand ils découvrent dans leur chambre ces pilules que prennent quotidiennement les hypertendus. D'autre part, la personne ayant volé la photo avait très bien pu placer le flacon près du cadavre. Miss Marple ne se souvenait pas d'avoir vu le major prendre des médicaments, ni qu'il ne lui eût jamais parlé de sa tension. La seule chose qu'il avait admise — à propos de sa santé — était qu'il ne se sentait plus aussi jeune qu'auparavant. Mais qui donc avait fait allusion à la tension du major Palgrave ?... Molly ?... Miss Prescott ?... Elle n'arrivait pas à s'en souvenir. Soupirant, elle se gourmanda :

— Allons voyons, Jane, qu'allez-vous imaginer ? Vous êtes en train de bâtir tout un drame, alors que vous ne possédez réellement rien sur quoi vous baser !

Elle essaya de se rappeler aussi précisément que possible la conversation qu'elle avait eue avec le major au sujet de la criminalité, puis soupira :

— Même si je le voulais, je ne vois vraiment pas comment entreprendre quelque chose...

Et pourtant, elle savait qu'elle allait l'entreprendre.

CHAPITRE VI

Miss Marple se réveilla de bonne heure. Comme beaucoup de personnes âgées, elle dormait très peu et employait ses heures d'insomnie à établir ses programmes pour les jours suivants.

Mais ce matin-là, encore couchée, la vieille demoiselle ne pouvait détacher sa pensée des histoires de meurtre et de ce qu'il lui conviendrait de faire. Ce ne serait pas facile, sa seule arme étant la conversation. Les dames d'un certain âge se perdent volontiers dans des conversations décousues dont les autres se fatiguent, sans soupçonner une seconde qu'elles puissent cacher un but nettement déterminé. Cependant, Miss Marple ne voyait pas très bien quelles questions poser. Il lui fallait essayer d'en apprendre davantage sur certaines pensionnaires. Le major Palgrave, peut-être... Mais cela l'aiderait-elle vraiment ? Elle en doutait, car si le major avait été tué ce n'était sûrement pas à cause de secrets recueillis tout au long de sa vie, pas plus que dans l'espoir, pour le meurtrier, d'hériter de sa fortune ou de se venger de lui. Il s'agissait là d'un cas exceptionnel où une connaissance plus approfondie de la victime ne vous conduisait pas à son meurtrier. Le seul détail à retenir était que le major parlait trop.

Le Dr Graham venait de révéler quelque chose d'intéressant : le major gardait sur lui différentes photographies, celle où il montait un poney, celle où il posait fièrement le pied sur le fauve vaincu et d'autres documents de même espèce. Pourquoi trimbalait-il tout cela avec lui ? Certainement, pensait Miss Marple avec sa longue expérience des vieux amiraux, brigadiers généraux et autres colonels, parce qu'il connaissait certaines histoires, qu'il aimait à raconter et qui, toutes, commençaient par « Une étrange aventure m'arriva un jour que je chassais le tigre en Inde... », ou bien un récit où le poney jouait un rôle important. C'est pourquoi l'anecdote à propos d'un hypothétique meurtrier devait être illustrée par une photo. Le thème du meurtre ayant été soulevé, pour souligner l'intérêt de son histoire, il avait agi comme il agissait d'ordinaire en montrant une photo avec un commentaire du genre « Auriez-vous pensé que ce type-là pût être un meurtrier ? ».

D'autre part, le major ne variant jamais son répertoire, il était à croire qu'il avait déjà posé cette question à d'autres pensionnaires. Dans ce cas, Miss Marple pouvait apprendre de ces derniers les détails lui manquant et peut-être obtenir une description de l'homme figurant sur le cliché.

Elle hocha la tête avec satisfaction : ce serait un bon début.

Évidemment, elle pensa à ceux qu'en elle-même elle nommait les « quatre suspects ». Bien qu'en réalité le major Pelgrave ait parlé d'un *homme* et des hommes il n'y en avait que deux. Or, ni le colonel Hillingdon ni Mr. Dyson ne ressemblaient à des criminels, mais les meurtriers bien souvent ne ressemblent pas à des meurtriers. En dehors de ces deux-là existait-il un suspect possible ? En tournant la tête elle n'avait vu personne. Cependant, quelqu'un aurait pu sortir du bungalow de Mr. Rafiel et y entrer sans qu'elle ait eu le temps de l'apercevoir. Dans ce cas, il se serait agi du valet soignant le vieux monsieur. Comment s'appelait-il donc ? Ah ! oui, Jackson. Si Jackson était sorti à ce moment-là il aurait eu la même pose que celle de l'homme du cliché.

La similitude pouvait alors avoir frappé le major. Il faudrait admettre, dans ce cas, que jusqu'à cet instant, le major n'aurait pas prêté attention à Arthur Jackson? Il est vrai que le vieil officier se montrait trop snob pour s'intéresser aux gens de petite condition.

Miss Marple changea de position sur son oreiller. Programme pour demain — ou mieux, pour aujourd'hui : pousser les recherches au sujet des Hillingdon, des Dyson et d'Arthur Jackson.

Le Dr Graham se réveilla également de bonne heure. D'habitude, il se rendormait presque aussitôt, mais ce matin il se sentait oppressé et le sommeil le fuyait. Il ne souffrait que depuis quelque temps de cette angoisse légère dont il ne parvenait pas à découvrir la cause. Peut-être quelque chose en rapport avec la mort du major Palgrave? Pourtant, dans cette mort il ne discernait rien qui fût susceptible de lui causer cette impression de malaise. A moins que cela ne vînt d'une phrase prononcée par cette vieille demoiselle si agitée. Pas de chance, la pauvre, pour sa photo... Quelle hypothèse avait-elle donc suggérée qui le troublait à ce point? Le médecin se répétait que rien dans la mort du major n'apparaissait anormal. Il était bien évident que dans l'état de santé de Palgrave... mais, au fait, connaissait-il vraiment son état de santé? Tout le monde racontait qu'il souffrait de tension. Pourtant, le supposé malade ne s'était jamais ouvert à lui de ses inquiétudes. Graham dut s'avouer toutefois, que détestant les raseurs, il avait toujours évité cet ennuyeux bavard de Palgrave. Pourquoi s'obstinait-il à penser qu'un détail aurait pu lui échapper?

A l'écart de la pelouse de l'hôtel, dans une des cabanes alignées au bord d'une crique, Victoria Johnson s'éveilla et s'assit sur son lit. Cette magnifique jeune indigène de

St. Honoré au torse de marbre noir qui eût inspiré un sculpteur, promena ses doigts dans ses cheveux courts et crépus, et du pied poussa son compagnon endormi.

— Réveillez-vous, Jim!

Jim grogna en ramenant les couvertures.

— Qu'est-ce que vous voulez? Ce n'est pas encore l'heure de se lever!

— Réveillez-vous! J'ai à vous parler.

L'homme s'assit, s'étira et bâilla en montrant de merveilleuses dents blanches.

— Qu'est-ce qui vous tourmente?

— Ce major qui est mort. Il y a quelque chose que je n'aime pas. Quelque chose qui ne tourne pas rond.

— Pourquoi vous faire du souci à son sujet? Il était vieux. Il est mort.

— Écoutez. Ce sont les pilules. Ces pilules sur lesquelles le docteur m'a interrogée.

— Eh bien, quoi? Il en a trop pris?

— Non, ce n'est pas cela. Écoutez-moi.

Elle se pencha vers lui, parlant avec véhémence. Il bâilla de nouveau et se rallongea.

— Tout ça n'a aucune importance.

— N'empêche que j'en parlerai à Mrs. Kendal ce matin, parce que moi je trouve que c'est bizarre.

— Ça ne vous regarde pas, opina l'homme qu'elle considérait comme son époux, bien qu'ils eussent oublié la cérémonie du mariage — et ne cherchez donc pas des ennuis — conclut-il avant de se rendormir.

CHAPITRE VII

Au milieu de la matinée, sur la plage, en contrebas de l'hôtel, Evelyn Hillingdon sortant de l'eau, se laissa tomber sur le sable doré et chaud. Elle retira son bonnet de bain et secoua vigoureusement ses cheveux noirs.

Une plage assez étroite où les gens s'agglutinaient et où vers onze heures trente il s'y tenait toujours une sorte de réunion.

A la gauche d'Evelyn, sur une chaise de style exotique moderne, était étendue la señora de Caspearo, une belle Vénézuélienne. Près d'elle, Mr. Rafiel, devenu le doyen du *Golden Palm Hôtel* témoignait de cette autorité que seul un invalide d'un âge avancé mais en bonne santé, pouvait manifester. Esther Walters l'assistait, ayant toujours à portée de la main son carnet de sténo et un crayon au cas où son patron penserait tout à coup à un câble urgent à envoyer. Mr. Rafiel en tenue de bain était incroyablement décharné. Bien que ressemblant à un mourant, il n'avait pas changé d'aspect depuis dix ans, du moins c'est ce que l'on racontait dans les îles. Au-dessus de ses joues ridées, ses yeux bleus ne cessaient de scruter ceux qui l'entouraient et son principal plaisir dans la vie consistait à prendre le contre-pied avec énergie de tout ce que les autres tenaient pour vrai.

Miss Marple se trouvait là aussi. Comme d'habitude, assise, elle tricotait, prêtant l'oreille à tout ce qu'on disait, et de temps à autre, se joignait à la conversation. Lorsqu'elle le faisait, tout le monde s'en montrait surpris parce que le plus souvent on oubliait sa présence. Evelyn Hillingdon la regarda avec indulgence et pensa qu'elle ressemblait à une charmante vieille chatte.

La señora de Caspearo étendit un peu plus d'huile sur ses longues et belles jambes tout en chantonnant. Elle parlait très peu. Regardant avec mécontentement son flacon d'huile solaire, elle gémit :

— Ce n'est pas aussi bon que le « Frangipanio ». On n'en trouve pas ici. Dommage.

Puis elle baissa à nouveau les yeux.

— Voulez-vous prendre votre bain maintenant, monsieur Rafiel ? demanda Esther Walters.

— J'irai quand je serai prêt, répondit l'interpellé d'un ton hargneux.

— Il est onze heures trente.

— Et alors ? Vous pensez que je suis le genre d'homme à être tenu par l'heure ? Faites ceci à l'heure dite, faites cela à la demie, ça à moins vingt, bah !

Mrs. Walters s'occupait de Mr. Rafield depuis assez longtemps pour savoir comment le prendre. Il fallait à son patron un long moment pour rassembler toute son énergie avant son bain, en lui rappelant l'heure, elle lui accorderait dix bonnes minutes pendant lesquelles il repousserait sa suggestion pour l'accepter finalement sans en avoir l'air.

— Je n'aime pas ces espadrilles, remarqua-t-il en levant un pied et en le contemplant. Je l'ai fait remarquer à ce fou de Jackson mais il ne prête aucune attention à ce que je lui dis.

— Je vais aller vous en chercher d'autres.

— Restez ici et tenez-vous tranquille. Je déteste les gens qui courent dans tous les sens comme des poules affolées.

Evelyn remua un peu sur le sable chaud, allongeant les bras.

Miss Marple, absorbée par son tricot — ou du moins semblant l'être — étendit un pied, puis vivement s'excusa :

— Je suis désolée, pardonnez-moi, Mrs. Hillingdon. Je dois vous avoir donné un coup.

— Oh! ce n'est pas grave. Cette plage commence à devenir surpeuplée.

— Je vous en prie, ne bougez pas. Je vais reculer un peu ma chaise, ainsi je ne risquerai pas de recommencer.

Tout en se réinstallant, Miss Marple se mit à bavarder d'une manière quelque peu enfantine.

— C'est vraiment merveilleux d'être ici. Jamais je n'étais venue dans la mer des Antilles et je ne pensais pas y venir un jour. Et pourtant grâce à la gentillesse de mon neveu, m'y voici. Je suppose que vous connaissez très bien cette partie du monde, Mrs. Hilligndon ?

— J'ai effectué un ou deux voyages dans cette île, et j'ai visité la plupart des autres.

— Toujours à la poursuite des papillons et des fleurs sauvages, avec vos amis ? A moins qu'ils ne soient de votre famille ?

— Des amis. Rien de plus.

— Et je suppose que vous vous déplacez le plus souvent ensemble puisque vous avez la même curiosité ?

— Voilà plusieurs années que nous voyageons ensemble, en effet.

— J'imagine que vous avez dû connaître de curieuses aventures ?

— Même pas. (La voix atone de la jeune femme traduisait une sorte d'ennui.) Les aventures ne semblent arriver qu'aux autres, dit-elle en bâillant.

— Comment! Pas de rencontres désagréables avec des serpents, des animaux féroces ou des sauvages hostiles ?

« Quelles bêtises je suis en train de raconter », pensait Miss Marple à part elle.

— Rien de plus grave que des piqûres d'insectes.

— Le pauvre major Palgrave fut un jour mordu par un serpent venimeux, mentit effrontément la vieille demoiselle.

— Vraiment ?

— Ne vous en a-t-il jamais parlé ?

— Peut-être, je ne m'en souviens pas.

— Vous le connaissiez bien ?

— Le major Palgrave ? Non, à peine.

— Il avait toujours des histoires tellement intéressantes à raconter.

Mr. Rafiel intervint.

— Un horrible vieux raseur. Et stupide de surcroît. Il ne serait pas mort s'il s'était soigné.

— Oh! voyons, Mr. Rafiel! protesta sa secrétaire.

— Je sais ce que je dis! Si vous prenez soin de votre santé il n'y a pas de raison pour que vous soyez malade. Regardez-moi! Les docteurs m'ont abandonné il y a des années, et pourtant je suis encore là.

Il regarda fièrement autour de lui mais à la vérité sa présence tenait à un miracle.

— Le pauvre major Palgrave souffrait d'hypertension, souligna Mrs. Walters.

— Bêtise!

— Mais c'est vrai, renchérit sèchement Evelyn Hillingdon.

— Qui donc le prétend? demanda Mr. Rafiel. L'a-t-il révélé lui-même?

— En tout cas, quelqu'un l'a dit.

— Il semblait très rouge de visage, suggéra Miss Marple.

— Ce n'est pas un indice suffisant. Et de toute façon, à moi, il a certifié qu'il n'en souffrait pas. Un jour qu'il buvait du *Punch du Planteur* et mangeait trop je lui ai fait remarquer qu'il devrait surveiller son régime et penser à sa tension. Il m'a répondu qu'il n'avait pas à s'inquiéter sur ce point car sa tension était excellente pour un homme de son âge.

— Pourtant je crois qu'il prenait des médicaments pour cette maladie, susurra Miss Marple. Des pilules appelées... quelque chose comme... « Serenite », il me semble?

— A mon avis, répliqua Evelyn Hillingdon, le major Palgrave appartenait à ce genre d'hommes qui ne veulent jamais reconnaître qu'ils sont malades.

— L'ennui, reprit Mr. Rafiel sur un ton dictatorial, est que tout le monde s'intéresse trop aux malaises d'autrui. On estime généralement que toute personne de plus de cinquante ans doit mourir d'hypertension ou de thrombose coronaire. Balivernes! Si un homme m'affirme qu'il n'a rien de grave, je crois ce qu'il dit. Chacun est au courant de son propre état de santé. Quelle heure est-il? Midi moins le quart? J'aurais dû aller me baigner depuis longtemps. Pourquoi ne me l'avez-vous pas rappelé, Esther?

Sans protester, Mrs. Walters se redressa et aida Mr. Rafiel à se lever. Le soutenant, elle descendit avec lui vers la mer où ils entrèrent tous deux.

Faisant rouler les galets sous leurs pas, Edward Hillingdon et Gregory Dyson arrivèrent.

— Comment est l'eau aujourd'hui, Evelyn?

— Comme d'habitude.

— Où est Lucky?

— Pas vue...

Miss Marple regarda pensivement la jeune femme.

— Attention, maintenant je vais imiter la baleine, annonça Greg qui retira sa chemise bariolée, et s'élança vers la mer dans une grande gerbe d'eau d'où il émergea pour exécuter un crawl rapide.

Edward Hillingdon s'assit près de sa femme.

— Voulez-vous retourner nager un peu, Evelyn?

Elle sourit, remit son bonnet de bain et ils pénétrèrent

dans l'eau d'une manière moins spectaculaire que leur prédécesseur.

La señora de Caspearo rouvrit les yeux.

— J'imaginais que ces deux-là étaient en voyage de noces tellement il est aux petits soins pour elle, mais j'ai entendu dire qu'ils sont mariés depuis huit ou neuf ans. Incroyable, vous ne trouvez pas ?

— Je me demande où est Mrs. Dyson, remarqua pensivement Miss Marple.

— Cette Lucky ? Sûrement avec un homme.

— Vous croyez ?

— Certainement, c'est son genre. Mais elle n'est plus très jeune maintenant et son mari commence à regarder ailleurs. Je sais de bonne source qu'il ne cesse de flirter ici et là.

— Je me doute que vous êtes au courant.

La señora de Caspearo jeta un regard surpris à la vieille demoiselle tandis que cette dernière contemplait les vagues, d'un air innocent.

Sur le seuil du bureau, la servante noire demanda à Mrs. Kendal :

— Puis-je vous parler, ma'ame ?

— Oui, bien sûr, répondit Molly assise derrière sa table de travail.

Victoria Johnson, toute pimpante dans son uniforme blanc empesé, s'avança et ferma la porte derrière elle avec un air quelque peu mystérieux.

— Je voudrais vous raconter quelque chose, s'il vous plaît, Mrs. Kendal.

— Qu'est-ce que c'est ? Un ennui ?

— Je ne sais pas encore. A propos du vieux monsieur qui est mort, le major. Il est mort pendant son sommeil.

— Oui, je sais. Et alors ?

— Un flacon de pilules se trouvait dans sa chambre. Le

docteur m'en a parlé. Il m'a dit : « Je vais voir ce qu'il y a sur la tablette de la salle de bains. » Il a découvert du dentifrice, des comprimés digestifs, de l'aspirine et des pilules « Cascara » et aussi celles appelées « Serenite ».

— Oui.

— Le docteur les a examinées et a paru satisfait. Mais j'ai repensé à tout cela après. Ces pilules « Serenite » ne se trouvaient pas là avant. Je ne les ai jamais vues dans sa salle de bains. Seulement les autres.

— Et vous en déduisez ?...

— Rien, sinon que ce n'est pas normal, c'est pour ça que je suis venue vous le rapporter. Vous déciderez si vous devez en avertir le médecin. C'est peut-être important. Il est possible que quelqu'un les ait mises là, que le major en ait avalé et en soit mort.

— Je ne le pense pas.

— On ne sait jamais. Il y a des gens si mal intentionnés !

Molly regarda par la fenêtre... Le décor évoquait une sorte de paradis terrestre avec le soleil, la mer, les récifs de corail, la musique, la danse. Mais dans l'Eden il y avait eu le Serpent. Des gens mal intentionnés.... Que de perspectives désagréables !

— Je me renseignerai, Victoria. Ne vous inquiétez pas et surtout ne commencez pas à répandre des rumeurs stupides.

Tim Kendal entra au moment où la servante sortait.

— Quelque chose qui ne va pas, Molly ?

Elle hésita, mais estimant que Victoria pouvait aussi le prendre pour confident, elle préféra tout lui raconter.

— Mais c'est une histoire stupide ! D'ailleurs qu'est-ce que c'est que ces pilules ?

— Je n'en sais pas plus que vous. Le Dr Robertson a déclaré qu'elles agissaient sur la tension.

— Quoi d'extraordinaire ? Si Palgrave avait de la tension

54

il est normal qu'il ait pris des pilules pour la diminuer. J'ai vu beaucoup de gens agir de même.

— Oui... mais... Victoria croit qu'il serait mort d'avoir pris ces pilules.

— Voyons, chérie, c'est du mélodrame! Vous pensez que quelqu'un aurait pu échanger ce médicament à son insu dans l'intention de le tuer!

— Ça paraît absurde à vous entendre, mais c'est ce dont Victoria semble être persuadée.

— Quelle idiote! On pourrait demander au Dr Graham, il doit connaître ces trucs-là. Mais, vraiment, j'aurais honte de l'ennuyer avec de pareilles sornettes! Qu'est-ce qui a bien pu donner l'idée à cette fille que quelqu'un aurait changé les pilules?

— A ce que j'ai compris, Victoria estimait que c'était la première fois qu'un flacon de « Serenite » se trouvait chez le major.

Tim Kendal haussa les épaules :

— Ça ne tient pas debout!

Et il s'en fut rejoindre Fernando le maître d'hôtel.

Quant à Molly, elle ne parvenait pas à chasser ce problème de son esprit. Après s'être débarrassée des obligations du déjeuner, elle avertit son mari :

— Tim... Si Victoria raconte cette histoire un peu partout, nous aurions peut-être intérêt à en parler les premiers.

— Ma chérie, Robertson et les autres ont tout examiné, fouillé, et posé au moment voulu les questions qui s'imposaient.

— D'accord, mais ces filles bavardent tellement entre elles!

— Bon! Eh bien! allons voir Graham.

Ils découvrirent le docteur dans sa loggia un livre à la main. Molly exposa son histoire un peu incohérente et Tim donna tout de suite son point de vue :

— Tout cela est un peu farfelu, docteur. N'est-ce pas votre avis?

— Pourquoi cette fille aurait-elle eu cette idée? A-t-elle vu ou entendu quelque chose de suspect?

— Victoria a parlé de « Serenite », reprit Molly.

— C'est une préparation tout à fait courante.

— La servante m'a assuré qu'elle n'avait jamais aperçu ce flacon auparavant dans la salle de bains du major.

— Jamais vu auparavant? Comme c'est curieux... En est-elle bien sûre?

La gravité du médecin surprit les Kendal.

— Elle a été très affirmative.

— Elle voulait peut-être paraître intéressante? suggéra Tim.

— Il serait préférable que j'aie moi-même une conversation avec cette fille.

Victoria manifesta un plaisir évident à raconter son histoire au médecin...

— Je ne veux pas avoir d'ennuis, commença-t-elle. Ce n'est pas moi qui ai mis ce flacon dans la salle de bains et j'ignore qui l'y a déposé.

— Mais vous pensez sincèrement que quelqu'un l'a placé là?

— S'il ne s'y trouvait pas les jours précédents, c'est évident.

— Le major pouvait le garder dans un tiroir ou dans une valise?

— Pas s'il devait l'utiliser souvent.

— Non. Évidemment c'est le genre de médicament qu'on prend plusieurs fois par jour. Vous ne l'avez jamais vu s'en servir?

— Non, jamais. Le bruit a circulé que ce remède avait un rapport avec sa mort, une sorte d'empoisonnement peut-être...

— C'est absurde, ma fille!

— Vous estimez que ces pilules auraient été bonnes pour lui?

— Je dirai même plus : indispensable pour la santé du major.

— Ah! eh bien, tant mieux. Vous me soulagez d'un gros poids, docteur!

Elle lui adressa un large sourire sans se douter que c'était dans l'esprit du médecin désormais que ce poids allait se faire sentir.

CHAPITRE VIII

— Cet endroit est différent de ce qu'il était, s'irrita Mr. Rafiel, alors qu'il observait Miss Marple approchant du coin où sa secrétaire et lui se tenaient. Impossible de faire un pas sans rencontrer une de ces vieilles poules affairées. Qu'ont-elles donc besoin de venir dans la mer des Antilles ?

— Où devraient-elles aller à votre avis ? demanda Esther Walters.

— A Cheltenham, ou Bournemouth, ou Torquay ou Llandrindod Wells. Elles n'ont que l'embarras du choix ! Elles aiment ces lieux à la mode où elles se sentent parfaitement heureuses.

— Je suppose qu'elles ne peuvent pas souvent s'offrir le luxe d'un voyage jusqu'ici. Tout le monde n'a pas votre chance.

— Allez-y ! ne vous gênez pas ! Mais, regardez-moi donc ! Perclu de douleurs et accablé de toutes les misères physiques. Décidément vous ne m'apportez aucun soulagement et par-dessus le marché vous ne faites rien ! Pourquoi n'avez-vous pas encore tapé ces lettres ?

— Je n'ai pas eu le temps.

— Vous ne pouvez pas vous organiser ? Je vous ai emmenée ici pour travailler un peu et non pour que vous restiez continuellement assise à vous dorer au soleil et à exhiber votre anatomie.

D'autres auraient pu trouver les remarques de Mr. Rafiel insupportables mais, Esther Walters, à son service depuis quelques années, savait assez que les aboiements de son patron portaient plus loin que ses morsures. Le vieil homme souffrait presque continuellement et sa mauvaise humeur lui était une façon de se soulager. Quoi qu'il dise, Esther restait imperturbable.

— Quelle soirée merveilleuse, annonça Miss Marple en s'arrêtant près d'eux.

— Et pourquoi ne le serait-elle pas ? répliqua Mr. Rafiel. C'est pour cela que nous sommes ici, n'est-ce pas ?

La vieille demoiselle eut un petit rire cristallin.

Elle déposa sur la table de jardin son sac à ouvrage et s'éloigna en trottinant vers son bungalow.

— Jackson ! hurla Mr. Rafiel.

Aussitôt l'interpellé apparut.

— Emmenez-moi à l'intérieur ! Vous allez me faire mon massage maintenant avant que cette bavarde ne revienne. Ce n'est pourtant pas que les massages me fassent du bien.

Il se laissa entraîner par son soigneur.

Esther Walters les regarda disparaître et se retourna vers Miss Marple qui arrivait en s'excusant :

— J'espère que je ne vous dérange pas ?

— Bien sûr que non. Il faut que j'aille taper des lettres dans un instant, mais je m'accorde encore dix minutes de soleil.

Miss Marple s'assit et examina sa voisine : pas attirante du tout... elle pourrait cependant être séduisante si elle le voulait. Pourquoi ne le veut-elle pas ? Mr. Rafiel le lui interdirait-il ? Pourtant le vieux monsieur devait sûrement s'en moquer. Il avait assez à s'occuper de sa personne, et du moment qu'elle le soignait bien, sa secrétaire aurait pu se promener dans le costume d'une houri au Paradis sans que

Mr. Rafiel trouvât à redire. En outre, il se couchait habituellement tôt, et pendant les soirées dansantes, dans l'ambiance de la musique typique, Esther Walters aurait eu l'occasion de... comment dire?... (Miss Marple cherchait le mot juste.)... s'épanouir.

La vieille demoiselle aiguilla habilement la conversation sur Jackson, mais la secrétaire répondit évasivement :

— Il fait très bien son travail. Un masseur plein d'expérience.

— Je suppose qu'il y a longtemps qu'il est avec Mr. Rafiel?

— Oh! non! depuis neuf mois, si je me souviens bien.

— Est-il marié?

— Marié? Je ne crois pas. En tout cas, il n'en a jamais parlé. Non... franchement, je ne pense pas qu'il le soit.

Elle eut un sourire amusé que Miss Marple interpréta en complétant mentalement ce que la jeune femme pensait sans doute : dans n'importe quelle circonstance, il n'a jamais les réactions d'un homme marié!

Cette jeune personne apprendrait un jour que bon nombre d'hommes mariés se conduisent comme s'ils ne l'étaient pas, et son interlocutrice se sentait capable d'en citer des dizaines d'exemples.

Elle suggéra :

— C'était un beau garçon.

— Oui... peut-être...

La tricoteuse lui jeta un coup d'œil rapide. Ne s'intéressait-elle pas aux hommes? Appartiendrait-elle à ce genre de femme dont un seul homme occupe toute la vie? On disait Mrs. Walters veuve.

— Il y a longtemps que vous êtes au service de Mr. Rafiel?

— Quatre ou cinq ans. Après la mort de mon mari, j'ai dû recommencer à travailler. Je suis restée sans argent avec une petite fille.

— Mr. Rafiel doit être un homme très difficile.

— Pas lorsqu'on le connaît. Il a des accès de colère et un esprit de contradiction. Je suppose que le monde le fatigue. En deux ans il a changé cinq fois de domestique. Il aime sans cesse avoir quelqu'un de nouveau à tyranniser. Mais avec moi il s'est toujours bien entendu.

— Mr. Jackson a l'air d'être un jeune homme fort dévoué.

— Il est plein de tact. Et il lui en faut car il se trouve dans... dans...

— Dans une situation difficile ?

— C'est cela. Intermédiaire entre le maître et le domestique. Toutefois... Je crois qu'il s'arrange pour se procurer du bon temps.

Miss Marple médita sur cette remarque mais cela ne l'avança guère. Elle poursuivit son bavardage décousu et apprit ainsi bien des choses sur le quatuor, amoureux de la nature, des Hillingdon et des Dyson.

— Il y a trois ou quatre ans, que les Hillingdon séjournent ici chaque hiver mais Gregory Dyson fréquente cet endroit depuis plus longtemps encore. Il connaît très bien la mer des Antilles. Je crois qu'au début il y venait avec sa première femme qui était de santé délicate et devait éviter les hivers rigoureux.

— Est-elle morte ou bien ont-ils divorcé ?

— Elle est morte, ici même. Pas dans cette île mais dans une de celles qui sont aux alentours. Cela a même déclenché une sorte de scandale dont j'ignore la nature. Mr. Dyson ne parle jamais de sa première femme mais j'ai appris qu'il ne s'entendait pas très bien avec elle.

— C'est alors qu'il s'est remarié avec cette « Lucky ».

Miss Marple prononça ce nom avec un léger mépris comme si elle voulait signifier que c'était-là un prénom « impossible ».

— On dit qu'elle est parente de la première Mrs. Dyson.

— Connaissent-ils les Hillingdon depuis longtemps?

— Depuis le premier séjour de ces derniers dans cette île.

— Les Hillingdon semblent être des gens charmants et paisibles. Tout le monde les dit très amoureux l'un de l'autre.

Le ton de Miss Marple fit lever les yeux à Esther Walters.

— Mais vous ne pensez pas qu'ils le soient?

— Vous-même, ma chère, en êtes-vous si sûre?

— Eh bien!... je me le suis demandé parfois...

— Les hommes calmes du genre du colonel Hillingdon sont souvent attirés par les types de femmes fantasques comme cette Lucky.

Encore une affamée de scandales, jugea la secrétaire. Vraiment ces vieilles femmes...

Et elle répondit froidement :

— Je manque d'expérience sur la question.

Miss Marple passa à un autre sujet.

— La mort du major Palgrave a été une bien triste nouvelle.

La secrétaire approuva avec réserve, puis ajouta :

— Ceux pour lesquels je suis vraiment désolée, ce sont les Kendal.

— Oui, je pense que c'est ennuyeux, lorsqu'un événement de cette sorte se produit dans un hôtel.

— Les gens viennent ici pour se distraire, vous comprenez! Pour oublier la maladie, la mort, les impôts, les conduites d'eau gelées et tout le reste. Ils n'aiment pas — le ton de la jeune femme changea — ceux qui les obligent à s'en souvenir.

Miss Marple reposa son tricot.

— Vous avez très bien expliqué cette mentalité d'un hivernant des îles, ma chère. Ce que vous dites est parfaitement juste.

— Et de plus, Tim et Molly sont de jeunes mariés.

Ils ne remplacent les Sanderson que depuis six mois et sont anxieux de voir si leur affaire marchera.

— Il ne faudrait pas que cette histoire leur nuise.

— Franchement, je ne le pense pas. La nouvelle a probablement bouleversé les pensionnaires vingt-quatre heures, mais l'enterrement passé, ils oublient vite. Je me suis efforcée d'expliquer tout cela à Molly, mais elle ne peut s'empêcher d'être inquiète.

— Inquiète Mrs. Kendal? Elle qui paraît toujours si insouciante?

— Une grande partie de son insouciance est factice à mon avis. En fait, elle est une de ces personnes angoissées qui ne peuvent s'empêcher de se faire constamment du souci de crainte que les choses ne tournent mal.

— Tiens! J'aurais plutôt vu Tim se tourmenter.

— Non, c'est Molly. Elle a de curieux moments de dépression. Elle ne me paraît pas... comment dirais-je?... bien équilibrée.

— La pauvre enfant! Mais, vous savez, beaucoup de gens doivent être ainsi sans que les autres s'en doutent.

— Parce qu'ils jouent la comédie. En tout cas, à mon avis, Molly ne devrait pas s'inquiéter actuellement. Il est fréquent de mourir subitement de thrombose coronaire, d'une hémorragie cérébrale ou autres choses de ce genre. A la vérité il n'y a que les épidémies qui aujourd'hui peuvent chasser la clientèle.

— Vous deviez prendre le major pour un vieux monsieur très ennuyeux? Il racontait sans cesse des histoires et revenait toujours sur les mêmes sujets.

— Ces bavards sont les pires! Ils vous obligent à entendre la même anecdote maintes et maintes fois, à moins que vous ne les aperceviez à temps et que vous puissiez fuir!

— Pour ma part, cela ne me gênait pas beaucoup, car généralement, j'oublie ces histoires au fur et à mesure que je les entends.

— Excellente solution! souligna Esther en riant de bon cœur.

— Un récit entre autres semblait tout particulièrement passionner le major. Il s'agissait d'un crime. Je suppose que vous le connaissez aussi?

Esther Walters ouvrit son sac, y fouilla et en sortit son bâton de rouge à lèvres.

— Ah! je croyais l'avoir perdu... Pardonnez-moi, que disiez-vous?

— Je vous demandais si le major vous avait raconté son histoire préférée, à propos d'un meurtre?

— Maintenant que vous me le dites, il me semble en effet que oui. N'était-ce pas une affaire concernant un suicide au gaz, non? Mais en vérité, la femme avait donné à son mari un sédatif avant de lui mettre la tête dans le four. C'est bien cela, n'est-ce pas?

— Pas exactement... Il parlait tellement qu'on était bien excusable de ne pas toujours l'écouter.

— Il possédait une photo qu'il présentait à ses auditeurs.

— Peut-être bien... mais pour l'instant, je ne me souviens pas de ce qu'elle pouvait représenter. Vous l'a-t-il montré?

— Non. Nous avons été interrompus au moment où il s'apprêtait à le faire.

CHAPITRE IX

— Figurez-vous que je me suis laissé dire... commença Miss Prescott, baissant le ton et regardant autour d'elle avec méfiance.

Miss Marple rapprocha sa chaise. Bien longtemps que la sœur du chanoine et elle, n'avaient eu l'occasion de se parler à cœur ouvert! Cela venait du fait que les ecclésiastiques étant des hommes ayant un sens de la famille très poussé, Miss Prescott se trouvait presque toujours accompagnée de son frère, et sans aucun doute il s'avérait plus difficile aux deux vieilles demoiselles de commenter quelques ragots lorsque le jovial clergyman leur tenait compagnie.

— ... Il semblerait, continua-t-elle, d'un air mystérieux, quoique, naturellement, je me défende de faire allusion au moindre scandale, et qu'en vérité je ne sois au courant de rien...

— Je vous comprends, l'encouragea Miss Marple.

— Il semblerait donc qu'il y ait eu une histoire grave alors que sa première épouse était encore en vie! Apparemment, cette Lucky qui devait être cousine de sa femme décédée, vint les rejoindre ici, et je crois savoir qu'elle travailla avec lui sur les fleurs ou les papillons. Les gens se mirent à parler parce qu'ils s'entendaient presque trop bien tous les deux, si vous voyez ce que je veux dire?

— On s'intéresse tellement aux détails de la vie privée d'autrui!

— Et, bien sûr, lorsque sa femme mourut si doudainement...

— Elle mourut ici, sur cette île?

— Non. Ils étaient à la Martinique, ou à Tobago à l'époque. Mais d'après les renseignements que j'ai recueillis de personnes présentes au moment où c'est arrivé et qui sont venues ici après, le docteur ne se montrait pas très satisfait...

— A ce point-là?

— Il ne s'agissait que de ragots. Ce qu'il y a de certain, c'est que Mr. Dyson s'est remarié tout de suite. (Elle baissa encore le ton de sa voix.) Pensez donc! à peine un mois plus tard.

— Un mois!

Les deux femmes se regardèrent.

— Dans un sens c'était très cruel pour la disparue sans aucun doute... Y avait-il de l'argent?

— Je ne pourrais l'affirmer. Il ne cesse de répéter que sa femme est sa « mascotte ». Peut-être l'avez-vous entendu?

— Oui, je suis au courant.

— Il y en a qui pensent que cela signifie qu'il a eu de la chance d'épouser une femme riche. Toutefois, Lucky est très jolie, si l'on aime son genre. Et pour ma part, je serais tentée de croire que c'était la première Mrs. Dyson qui avait de l'argent.

— Et les Hillingdon sont-ils riches eux aussi?

— Disons qu'ils sont à l'aise. Ils ont deux garçons qui poursuivent leurs études dans des écoles privées, et ils voyagent la plus grande partie de l'hiver.

Le chanoine apparut à ce moment-là et suggéra une promenade pour faire un peu d'exercice. Miss Prescott se leva pour se joindre à lui. Miss Marple préféra rester où elle était.

Quelques minutes plus tard, Gregory Dyson passa devant elle, se dirigeant à grandes enjambées vers l'hôtel. Il lui adressa un signe de la main et lança en riant :

— J'aimerais savoir à quoi vous pensez!

La vieille demoiselle se demanda ce que serait sa réaction si elle lui répondait :

« Je me posais la question de savoir si vous étiez un meurtrier? »

Vraisemblablement en était-il un. L'hypothèse cadrait tellement bien avec cette histoire de la mort de la première Mrs. Dyson! D'ailleurs, le major Palgrave avait nettement évoqué les époux se débarrassant de leurs conjointes, se référant plus particulièrement au cas classique « des femmes mariées noyées dans leur baignoire ».

La seule objection venait de ce que cela collait presque trop bien. Mais la vieille demoiselle se gourmanda pour cette pensée. Pour qui se prenait-elle donc pour souhaiter des *Crimes Faits sur Mesure*?

Une voix au timbre rauque la fit sursauter :

— Avez-vous vu Greg quelque part, Miss... Miss...

— Il vient de passer en direction de l'hôtel.

— Je l'aurais parié! s'écria Mrs. Dyson en poursuivant son chemin.

Elle paraissait de fort méchante humeur. Jane Marple estima qu'elle devait avoir une quarantaine d'années et qu'elle les portait largement ce matin et elle fut prise d'une pitié soudaine pour toutes les Lucky du monde, si vulnérables aux injures du temps.

Un bruit, derrière elle, l'obligea à se retourner. Mr. Rafiel, soutenu par Jackson, faisait sa première apparition quotidienne, sortant juste de son bungalow. Jackson l'installa sur sa chaise roulante et s'affaira autour de lui. Mr. Rafiel eut un geste d'impatience et son serviteur s'éloigna pour gagner l'hôtel.

Miss Marple ne perdit pas une minute, car le vieux

monsieur ne restait jamais seul longtemps. Esther Walters viendrait probablement le rejoindre bientôt. Elle désirait s'entretenir avec lui sans témoin, et devait profiter de son isolement passager. Il lui importait d'aller droit au but pour expliquer sa démarche, car le vieil original ne goûtait guère le genre de conversations futiles des dames âgées, et risquait de se retrancher dans son bungalow, persuadé d'être victime d'une persécution.

Elle s'avança vers lui, prit un siège, s'assit et annonça d'un trait :

— Je voudrais vous demander quelque chose, Mr. Rafiel.

— D'accord, d'accord, je vous écoute. Il s'agit d'une souscription, j'imagine ? Mission africaine ou réparation d'église ?

— Certes, je m'intéresse beaucoup à ces questions et, le cas échéant, je ne refuserais pas un don. Mais c'est d'une tout autre question qu'il me plairait de vous entretenir. La major Palgrave vous a-t-il jamais raconté une histoire à propos d'un meurtre ?

— Oh! Alors il vous l'a débitée à vous aussi, hein ? Et je suppose que cela vous a impressionnée ?

— A la vérité je ne sais quoi en penser. Que vous a-t-il dit exactement ?

— Une allusion, il me semble, à une ravissante créature, une sorte de Lucrèce Borgia réincarnée : belle, jeune, cheveux dorés, la perfection quoi!

Décontenancée, Miss Marple insista :

— Mais qui a-t-elle tué ?

— Son mari, naturellement.

— Poison ?

— Non, plutôt un somnifère, après quoi elle lui mit la tête dans le four. Une garce pleine de ressources, comme vous voyez. Après, elle déclara qu'il s'agissait d'un suicide et s'en tira à bon compte. Responsabilité atténuée comme on dit aujourd'hui quand on a affaire à une jolie femme ou à quelque jeune dévoyée trop gâtée par sa mère. Pouah!

— Le major vous a-t-il montré une photo?

— Quoi — une photo de la femme en question? Non. Pourquoi l'aurait-il fait?

Miss Marple était complètement perdue. Apparemment le major Palgrave semblait avoir passé son existence à raconter non seulement ses exploits touchant les tigres qu'il avait tués et les éléphants qu'il avait chassés, mais encore ses rencontres avec des meurtriers. Peut-être détenait-il tout un répertoire d'histoires criminelles...

Mr. Rafiel ramena Miss Marple à la réalité en hurlant:

— Jackson!

Il n'y eut pas de réponse.

— Voulez-vous que je vous l'envoie? offrit-elle aimablement en se levant.

— Vous ne le trouverez pas! Il joue sûrement les matous quelque part. Pas bien ce garçon... très mauvais caractère... Mais il me convient.

— Je vais le chercher.

Miss Marple dénicha le fautif assis à l'autre bout de la terrasse, en train de boire un verre en compagnie de Tim Kendal.

En apprenant que son patron le réclamait, le jeune homme eut une grimace, vida son verre et se redressa, hargneux.

— Ça recommence! Deux appels téléphoniques et une démarche à la cuisine pour son régime... je me figurais que tout cela m'aurait donné un répit d'un quart d'heure. Eh bien! non. Merci de vous être dérangée, Miss Marple. Merci pour la boisson Mr. Kendal.

— Je suis désolé pour ce type, remarqua Tim. Je l'invite de temps à autre à prendre un verre pour lui remonter le moral. Puis-je vous offrir quelque chose, Miss Marple? Que diriez-vous d'un citron pressé? Je sais que c'est votre boisson préférée.

— Pas maintenant, merci. Je suppose que s'occuper de quelqu'un comme M. Rafiel doit être bien astreignant. Les invalides sont souvent si pénibles.

— Ce n'est pas vraiment le problème. Jackson est très bien payé et doit s'attendre en échange à supporter des caprices. Le vieux Rafiel n'est pas un mauvais patron. Je voulais plutôt exprimer... comment dirais-je... sa situation sur le plan social. Le monde est tellement snob, il n'y a personne ici qui corresponde à son milieu. Il est plus qu'un domestique et moins que la plupart de nos hôtes. Un peu dans le genre des gouvernantes victoriennes. Même la secrétaire, Mrs. Walters, estime qu'elle est à un échelon au-dessus de lui. Ça complique les choses...

Tim s'interrompit, puis ajouta amèrement :

— C'est incroyable le nombre de problèmes qu'on découvre dans un endroit comme celui-ci.

Le Dr Graham traversa la terrasse, un livre sous le bras, et alla s'asseoir à une table face à la mer.

— Le Dr Graham a l'air soucieux, remarqua Miss Marple.

— Oh! nous avons tous nos ennuis...

— Vous aussi? A cause de la mort du major Palgrave?

— J'ai cessé de m'inquiéter à ce sujet. Tout le monde semble avoir déjà oublié. Non... C'est ma femme, Molly. Connaissez-vous quelque chose dans les rêves?

— Les rêves?

— Oui, les mauvais rêves... les cauchemars. Molly semble en avoir constamment et qui l'effraient. Existe-t-il un moyen de les dissiper? Elle prend des drogues pour dormir et prétend que c'est pis. Elle se bat dans son sommeil pour se réveiller mais n'y parvient pas toujours.

— Quelles sortes de rêves fait-elle?

— Quelqu'un ou quelque chose la pourchasse. Ou bien on la surveille, on l'espionne. Même éveillée elle garde longtemps cette impression.

— Mais les médecins...

— Elle ne veut pas en entendre parler. Enfin... il n'y a qu'à espérer que ça lui passera. Voyez-vous, nous étions si heureux! Tout paraissait si merveilleux! Et maintenant... Peut-être est-ce la mort du vieux Palgrave qui l'a boule-versée. Elle semble être devenue une autre depuis...

Il se leva.

— Je dois continuer le travail de la journée... Vous êtes sûre que vous ne voulez pas ce citron pressé?

Elle hocha la tête, et resta seule, préoccupée.

Après un coup d'œil au Dr Graham, elle se décida.

— Je dois vous présenter des excuses, docteur.

— Vraiment?

Amusé il avança une chaise à la vieille demoiselle.

— J'ai bien peur d'avoir agi envers vous de manière honteuse. Je vous ai délibérément menti.

— Est-ce possible? Eh bien, libérez votre conscience. Voyons à propos de quoi, ce gros mensonge?

— Vous vous souvenez que je vous ai parlé d'une photo de mon neveu que je montrai un jour au major qui ne me la rendit pas?

— En effet. Je suis désolé que nous n'ayons pu vous la retrouver.

— Cette photo n'a jamais existé, murmura d'une voix confuse, la coupable.

— Par exemple!

— J'ai inventé l'histoire.

— Vous l'avez inventée? Dans quel but?

Miss Marple lui relata les faits sans les commenter et l'attitude du major qui, sur le point de lui montrer une photo, s'était soudain ravisé. Puis elle en vint à sa propre curiosité et à son désir d'essayer d'obtenir cette photo par l'intermédiaire du médecin.

— ... Et je ne pouvais avoir votre aide qu'en vous

exposant quelque chose de totalement différent. J'espère que vous me pardonnerez ?

— Vous pensez franchement qu'il s'apprêtait à vous montrer la photo d'un criminel ?

— Oui, d'après ses dires.

— Et... vous l'avez cru ?

— Je ne sais si je le crus sur le moment. Mais voyez-vous, docteur, le lendemain il était mort.

— Oui (répondit machinalement le médecin, soudain frappé par la brutalité de cette remarque)... le lendemain il était mort...

— Et la photo a disparu.

Le Dr Graham regarda sa voisine ne sachant trop quoi lui répondre.

— Excusez-moi, Miss Marple, mais ce que vous m'exposez maintenant... dois-je y ajouter foi ?

— Vos doutes ne m'étonnent guère. J'aurais la même réaction à votre place. Oui, c'est vrai, mais je réalise que vous n'avez que ma parole pour me croire. Cependant, même si vous ne me jugez pas sincère, je pense avoir bien agi en vous prenant pour confident.

— Pourquoi ?

— Je me suis convaincue que vous deviez être mis au courant, au cas où...

— Au cas où ?...

— Où vous décideriez de prendre l'affaire en main.

CHAPITRE X

Le Dr Graham se trouvait à Jamestown dans le bureau de l'administrateur. Assis à une table, en face de lui, se tenait son ami Daventry, un homme de trente-cinq ans à l'aspect sévère.

— Vous sembliez plutôt mystérieux au téléphone, Graham. Des ennuis?

— Pas exactement, mais je suis effectivement soucieux.

Daventry lui adressa un signe au moment où on apportait les boissons. Il parla d'une expédition de pêche qu'il venait d'entreprendre. Lorsque la domestique se fut retirée, il se cala confortablement dans son fauteuil et fixa son visiteur.

— Bon, je vous écoute.

Le Dr Graham raconta ce qui le tracassait.

Daventry siffla doucement.

— Je vois. Vous pensez qu'il y a quelque chose d'étrange dans la mort du vieux Palgrave, et vous n'êtes plus certain qu'il s'agisse d'un décès naturel. Qui a signé le permis d'inhumer? Robertson, je suppose. Il n'a eu aucun doute sur le moment?

— Non, mais il est possible qu'il ait été influencé par la présence des pilules de « Serenite » dans la salle de bains. Il m'a demandé si Palgrave s'était plaint d'hypertension et je lui ai répondu par la négative. Je n'ai jamais eu de conversation médicale avec le défunt, mais à ce qu'il semblerait, il se serait entretenu avec les autres pensionnaires de l'hôtel de cette maladie. Le flacon de pilules et ce que Palgrave a raconté, cadraient bien avec sa fin subite. Aucune raison de suspecter autre chose. Conclusion : décès tout à fait naturel. Mais, aujourd'hui, je n'en suis plus tellement sûr. Personnellement j'aurais agi comme Robertson. Depuis, il y a eu l'inexplicable disparition de cette photo.

— Entre nous, Graham, si vous me permettez cette remarque, ne vous basez-vous pas trop sur les racontars sans doute un peu fantaisistes de cette dame ? Vous savez comment sont ces vieilles personnes ? Elles grossissent les petits détails et sans bien s'en rendre compte transforment tout une affaire.

— C'est probable mais je n'en suis pas pleinement convaincu. Elle était si affirmative, si précise.

— Tout de même, cela me praît un peu tiré par les cheveux. Le seul indice au fond, c'est qu'une femme de chambre affirme qu'un flacon de « Serenite » qui influença le jugement des autorités, ne se trouvait pas chez le major la veille de sa mort. Mais il y a cent explications pour justifier cette apparente anomalie. Le major peut avoir gardé son remède sur lui.

— En effet.

— La femme de chambre pouvait aussi n'avoir pas remarqué ce flacon plus tôt.

— Possible également.

— Alors ?

— Il n'empêche que la servante a l'air très sûre d'elle.

— A St. Honoré on se laisse facilement impressionner et on y a beaucoup d'imagination... Estimez-vous que cette fille en sache plus que ce qu'elle a déclaré ?

— Peut-être.

— Dans ce cas vous seriez bien avisé de susciter les confidences. Nous ne voulons pas déclencher une enquête à moins que nous n'ayons un fait précis et nouveau. Si le major n'est pas mort d'hypertension, à quoi aurait-il succombé, à votre avis ?

— Les causes ne manquent pas.

— Pensez-vous à une cause qui ne laisse aucune trace ?

— Tout le monde n'emploie pas l'arsenic, mon cher.

— Parlons clairement : vous semblez suggérer qu'un flacon de pilules a été substitué à celui dont usait Palgrave, et cela en vue de l'empoisonner ?

— Non, c'est ce que suppose la femme de chambre. Mais, pour moi, elle a mal interprété les événements. Si le major devait disparaître — rapidement — on lui aura donné du poison dans une boisson quelconque puis, pour laisser croire à une mort naturelle, on a placé un flacon de « Serenite » dans sa chambre. Et la rumeur a circulé qu'il souffrait d'hypertension.

— Mais qui a répandu ce bruit ?

— J'ai tenté de le savoir, mais sans succès : celui-ci le tient de celui-là, celui-là l'a appris d'un autre et cet autre d'un autre. Et ainsi de suite. On tourne en rond.

— Il y aurait donc quelqu'un de très astucieux dans le coup ?

— Sûrement. Sitôt le décès connu, tout le monde se mit à parler de l'hypertension du major.

— N'aurait-il pas été plus simple de l'empoisonner et d'en rester là ?

— Non, car on risquait l'enquête et peut-être l'autopsie. Tandis que de cette façon un médecin devait trouver ce décès normal et délivrer le permis d'inhumer.

— Qu'attendez-vous de moi au juste, Graham ? Que

j'alerte le C.I.D. ? Que je propose l'exhumation ? Beaucoup de remous en perspective.

— Ne pourrait-on agir discrètement ?

— A St. Honoré ? Vous plaisantez ! Cependant nous allons nous en occuper. Mais si vous voulez mon opinion, nous ne trouverons rien.

— Je le souhaite de tout cœur...

CHAPITRE XI

Molly arrangea quelques fleurs sur les tables de la salle à manger, enleva un couteau en surnombre, replaça une fourchette, ajouta un verre ou deux, se recula un peu pour juger de l'ensemble, puis sortit sur la terrasse, déserte à cette heure. Elle se dirigea vers l'angle le plus éloigné et s'accouda à la balustrade.

Une nouvelle soirée allait commencer : et ce serait des milliers de mots, des flots de boissons, de la gaieté, de l'insouciance, en bref, le genre de vie qu'elle avait tant aimé jusqu'à ces derniers jours. Maintenant, même Tim paraissait inquiet et tourmenté... Après tout, il était normal qu'il se fasse des soucis. Il venait d'engloutir tous ses capitaux dans cet hôtel, et il lui fallait absolument réussir.

Mais au fond d'elle-même, Molly savait que la vraie raison de l'angoisse de Tim, c'était elle-même. Pour en être convaincue, il lui suffisait de repenser aux questions incessantes qu'il lui posait, aux coups d'œil qu'il lui jetait à la dérobée. Que redoutait-il donc ?

Elle tenta de se rappeler quand tout cela avait commencé. Que pouvait-il lui reprocher ? Sans doute, au début, avait-elle été effrayée par les clients, sans raison d'ailleurs. Personne ne lui voulait du mal.

Molly sursauta au contact d'une main qui se posait sur

son bras. Se tournant brusquement, elle se trouva en face de Gregory Dyson, qui, surpris de sa réaction, s'excusa :

— Je suis désolé. Vous ai-je fait peur, petite fille ?

Elle détestait être appelée « petite fille », et répondit sèchement :

— Non, mais je ne vous avais pas entendu venir, Mr. Dyson.

— Mr. Dyson ? Quel ton cérémonieux, ce soir ! Ne sommes-nous pas tous une grande famille heureuse, ici ? Edward et moi, Lucky et Evelyn, vous et Tim, et Esther Walters, et le vieux Rafiel ?

« Il a déjà trop bu », pensa Molly qui répliqua d'un ton enjoué :

— Excusez-moi, par moments je deviens une hôtesse désagréable. Mais Tim et moi pensons qu'il est plus correct de ne pas trop nous habituer à appeler nos hôtes par leurs prénoms.

— Bah ! oublions toutes ces formalités. Alors... Molly, ma jolie, prendrez-vous un verre avec moi ?

— Pas pour l'instant. Le travail me réclame.

— Ne vous sauvez pas ! (Il resserra son étreinte autour du bras de la jeune femme.) Vous êtes très jolie, Molly. J'espère que Tim apprécie la chance qu'il a de vous avoir.

— Je sais le lui rappeler à l'occasion.

— Vous me plaisez beaucoup, bien que... entre nous... je ne voudrais pas que ma femme m'entende vous le dire.

— Avez-vous fait une bonne promenade cet après-midi ?

— Peut-être bien. Mais entre nous, j'en ai un peu marre. On arrive à se lasser des oiseaux et des papillons. Que diriez-vous d'un petit pique-nique tous les deux un de ces jours, juste vous et moi ?

— Il faudra que nous y réfléchissions. J'en serais ravie.

Riant, elle retourna à l'intérieur où Tim l'accueillit.

— Hello, Molly vous semblez pressée. Avec qui étiez-vous sur la terrasse ?

Il jeta un coup d'œil à l'extérieur.

— Gregory Dyson? que désirait-il?

— Me faire la cour.

— Le diable l'emporte!

— Ne vous inquiétez pas. Je connais la manière de me défendre des raseurs.

Il allait répondre, mais apercevant le maître d'hôtel, il l'appela pour lui donner ses directives.

Molly traversant la cuisine, descendit le perron et gagna la plage.

Abandonné par Mrs. Kendal, Gregory Dyson jura tout bas, puis se dirigea à pas lents vers son bungalow. Au moment où il allait en atteindre la porte, une voix le héla, étouffée par l'épaisseur des buissons. Dans la pénombre, il crut un moment avoir affaire à un fantôme, mais éclata de rire. L'apparition sans visage et vêtue de blanc n'était autre que Victoria qui s'avançait sur le chemin à sa rencontre.

— S'il vous plaît, Mr. Dyson?

— Oui. Qu'est-ce qu'il y a?

— Je vous ai apporté ceci, Monsieur.

Ouvrant la main, la jeune Noire montra un flacon de pilules.

— C'est à vous, n'est-ce pas?

— Tiens! mon flacon de « Serenite »! Où l'avez-vous trouvé?

— Là où il a été placé, dans la chambre du gentleman... celui qui est mort. Il ne doit pas reposer en paix dans sa tombe.

— Et pourquoi non?

Victoria fixa son vis-à-vis sans répondre.

— Je ne sais toujours pas de quoi vous parlez. Vous voulez dire que vous avez trouvé ce flacon dans le bungalow du major Palgrave?

— Oui, Monsieur. En partant, le docteur et les gens de

Jamestown m'ont donné tous les produits de sa salle de bains à jeter, dont ce flacon.

— Eh bien, pourquoi n'avez-vous pas obéi?

— Parce que ce flacon est à vous. Vous l'aviez perdu. Vous vous souvenez bien, vous m'en aviez parlé.

— Heu... oui, c'est vrai. Je croyais en effet l'avoir égaré.

— Non, vous ne l'aviez pas égaré. Il a été pris chez vous et déposé volontairement chez le major.

— Comment le savez-vous?

— Je sais, j'ai vu.

Brusquement, elle sourit dans l'éclat de ses dents blanches.

— Maintenant, je vous le rapporte.

— Attendez un moment. Que voulez-vous dire? Que... qu'avez-vous vu?

Elle se détourna rapidement et disparut. Greg eut un mouvement pour la rattraper, mais s'arrêta et se frotta le menton.

— Qu'est-ce qu'il se passe, Greg? Vous avez vu un fantôme? demanda ironiquement Mrs. Dyson, s'avançant vers lui, venant de leur bungalow.

— Je l'ai cru un moment, figurez-vous!

— Avec qui parliez-vous?

— La Noire qui s'occupe de notre chambre, Victoria, je crois?

— Que désirait-elle? Exercer son charme?

— Ne soyez pas stupide, Lucky. Cette fille a une idée idiote ancrée dans la tête.

— Une idée... à quel propos?

— Vous vous souvenez que je ne pouvais pas retrouver ma « Serenite » l'autre jour?

— C'est du moins ce que vous disiez.

— Qu'insinuez-vous?

— Oh! pour l'amour du Ciel, avez-vous besoin de me mêler à toutes vos histoires?

— Excusez-moi. Tout le monde a l'air tellement mystérieux en ce moment. (Il montra le flacon.) Cette fille vient de me le rapporter.

— L'avait-elle volé?

— Non, elle m'a dit l'avoir trouvé quelque part.

— Et alors? Où est le mystère?

— Il n'y en a sans doute pas. Elle m'a énervé, c'est tout.

Sur la plage, Molly prit une vieille chaise de paille déformée que les pensionnaires utilisaient rarement, et s'assit pour contempler un instant la mer. Brusquement, cachant son visage dans ses mains, elle éclata en sanglots. Elle pleura ainsi un moment sans pouvoir se contrôler.

Un roulement de galets non loin d'elle lui fit lever la tête : Evelyn Hillingdon l'observait.

— Hello, Evelyn! Je ne vous savais pas là. Je... suis confuse.

— Que se passe-t-il, mon enfant? Quelque chose qui ne va pas?

Mrs. Hillingdon approcha un autre siège et y prit place.

— Racontez-moi.

— Il n'y a rien. Rien du tout.

— Bien sûr que si! Sinon vous ne resteriez pas assise là à pleurer. Ne pouvez-vous m'expliquer? Est-ce quelque brouille entre Tim et vous?

— Oh! non!

— Tant mieux. Vous semblez toujours si heureux ensemble.

— Pas plus que vous. Tim et moi pensons toujours combien c'est merveilleux que vous et Edward puissiez vous entendre si bien, après avoir été mariés depuis tant d'années!

— Oh! ça...

Molly ne remarqua pas l'amertume avec laquelle sa voisine venait de répondre.

— Même quand ils s'estiment bien les gens se querellent fréquemment. Quelquefois en public.

— Il y en a qui aiment à vivre de cette façon. Cela ne signifie pas grand-chose.

— Moi je juge cela odieux !

— Moi aussi.

— Mais vous et Edward...

Mrs. Hillingdon leva la main.

— Sachez que, depuis trois ans, nous ne nous parlons qu'en public, et en privé seulement pour l'indispensable.

— Ce n'est pas possible ?

— Nous sauvons assez bien les apparences tous les deux. Ni l'un ni l'autre n'appartenons au genre aimant à se disputer en public. Et de toute manière, il n'existe aucun sujet sur lequel nous pourrions nous quereller.

— Que voulez-vous dire ? Une autre...

— Oui, une autre femme dans l'affaire, et je ne pense pas qu'il sera difficile pour vous de deviner de qui il s'agit ?

— Vous voulez dire Mrs. Dyson ? Lucky ?

Evelyn hocha la tête.

— Je me suis bien aperçue qu'ils flirtaient beaucoup ensemble, admit Molly, mais je pensais que ce n'était que...

— Un emballement passager ? Si ce n'était que ça !

— Mais... n'avez-vous pas lutté ? Pardonnez-moi, je n'aurais pas dû vous poser cette question.

— Demandez-moi tout ce que vous voulez. Je suis lasse de ne jamais dire un mot, lasse de jouer les épouses heureuses. Edward a simplement perdu la tête à cause de Lucky. Il a été assez bête pour venir me l'avouer. Cela l'a soulagé, je suppose. Sincère, honorable et tout le reste. Il ne s'est même pas rendu compte que sa confession ne m'apportait aucun réconfort, au contraire.

— Souhaitait-il vraiment vous quitter ?

— Nous avons deux enfants auxquels nous tenons beaucoup. Il fallait sauvegarder notre foyer. De son côté, Lucky n'aurait sûrement pas voulu divorcer. Greg est très riche, sa première femme lui a laissé une grosse fortune. Alors nous nous sommes résignés à jouer la comédie. Edward et Lucky filant le parfait amour, Greg heureux, ne se doutant de rien, et Edward et moi devenus simplement de bons amis.

— Comment pouvez-vous supporter cette situation?

— On s'habitue à tout. Mais parfois...

— Oui?

— Parfois j'ai envie de tuer cette femme.

Molly frissonna, mais déjà Evelyn coupait :

— Ne parlons plus de moi, mais plutôt de vous. Je veux comprendre ce qui vous arrive.

L'interpellée resta un moment silencieuse, puis finit par avouer en hésitant :

— Je crois que c'est en moi qu'il y a quelque chose qui n'est pas normal.

— Pas normal?

— J'ai toujours peur... terriblement peur.

— De quoi?

— De tout. La peur m'envahit. Des voix dans les buissons, des bruits de pas, ce qu'on chuchote. J'ai l'impression d'être sans cesse surveillée, espionnée, en bref, qu'on me hait.

— Ma pauvre enfant. (Evelyn était bouleversée.) Depuis combien de temps cela se produit-il?

— Je l'ignore. C'est venu par degrés. Et puis, il y a encore autre chose... des moments de ma vie qui disparaissent.

— Qui disparaissent?

— Par exemple : admettons qu'il soit cinq heures, eh bien! je suis incapable de me souvenir de ce que j'ai pu faire entre une heure et cinq heures.

— Des absences, à moins que vous ne vous soyez tout simplement endormie.

— Oh! non! Parce qu'à la fin de ces grands trous noirs, je ne suis pas du tout dans l'état de quelqu'un qui se réveille. Je me retrouve à un endroit différent de celui où j'étais quelques heures plus tôt, et quelquefois vêtue d'une autre robe.

Evelyn lui prit les mains.

— Mais, Molly, mon petit, s'il en est ainsi, vous devez voir un médecin.

— Je ne veux pas! Il décrèterait que je suis folle.

— Mais voyons, il y a toutes sortes de désordres nerveux qui ne sont pas sérieux du tout. Un docteur vous rassurerait vite. N'avez-vous pas de famille, une mère ou une sœur, quelqu'un enfin qui pourrait venir ici?

— Je ne me suis jamais entendue avec ma mère. J'ai des sœurs. Elles sont mariées, sans doute... pourraient-elles venir si je le leur demandais. Mais, je ne veux pas! Personne! Personne à part Tim!

— Tim est-il au courant?

— Pas vraiment. Cependant, il se doute de quelque chose et il me surveille. Je sais qu'il voudrait m'aider, me protéger. Mais s'il agit ainsi cela prouve que j'ai besoin de protection, n'est-ce pas?

— Je pense que dans votre cas, il y a une grande part d'imagination, toutefois vous devriez consulter un médecin.

— Le vieux Dr Graham?

— Il y a d'autres docteurs sur l'île.

— Non, je dois tout simplement m'efforcer de ne plus y penser. Comme vous le dites, ce n'est sûrement que de l'imagination. Grand Dieu! il est tard! Je devrais être dans la salle à manger. Il faut... que je me sauve.

Et après avoir dévisagé fixement Evelyn, presque avec animosité, elle s'en fut rapidement.

CHAPITRE XII

— Je crois bien être sur une piste, mon garçon.

— Que voulez-vous dire, Victoria ?

— Ça signifie peut-être de l'argent. Beaucoup d'argent.

— Prenez garde ! N'allez pas vous fourrer dans une sale histoire. Vous deviez me laisser m'en occuper moi-même.

Victoria eut un gloussement de satisfaction.

— Ne vous en faites pas ! Je sais comment me débrouiller. Quelque chose que j'ai vu, et quelque chose que j'ai deviné. Je suis presque sûre de ne pas me tromper.

A nouveau son rire de gorge emplit la nuit.

— Evelyn...

— Oui ?

Mrs. Hillingdon répondit machinalement sans même lever les yeux sur mon mari.

— Cela vous ennuierait-il si nous laissions tout tomber ici pour retourner chez nous, en Angleterre ?

Devant sa glace, Evelyn, en train de brosser ses cheveux, suspendit son geste.

— Mais il n'y a que trois semaines que nous sommes dans cette île ?

— Je sais.

— Et vous voulez vraiment rentrer à la maison ?

— Oui.

— En abandonnant Lucky?

Il parut gêné.

— Vous étiez donc au courant que cela durait toujours?

— Je m'en doutais, figurez-vous.

— Vous n'avez jamais rien dit.

— Pourquoi l'aurais-je fait? J'en ai pris mon parti depuis des années, et nous avons accepté tous les deux de suivre séparément notre chemin tout en sauvegardant les apparences. Mais pourquoi cette soudaine décision de regagner l'Angleterre?

— Parce que je suis à bout. Je ne peux plus supporter cette situation.

Le paisible Edward Hillingdon paraissait brusquement transformé. Ses mains tremblaient et son visage semblait ravagé par l'inquiétude.

— Pour l'amour du Ciel, Edward, que se passe-t-il?

— Il ne se passe rien sauf que je veux partir d'ici.

— N'étiez-vous pas follement épris de Lucky? Tout serait-il fini entre vous?

— Oui. Je ne pense naturellement pas que vous puissiez oublier et redevenir ce que vous étiez auparavant.

— Ne parlons pas de cela maintenant. Confiez-moi plutôt ce qui vous bouleverse à ce point.

— Je ne suis pas particulièrement bouleversé.

— Mais si vous l'êtes. Pourquoi? Voyons, Edward, vous avez eu une intrigue avec une femme. Cela arrive assez fréquemment. Et maintenant c'est terminé... Mais est-ce bien terminé? Peut-être n'est-elle pas d'accord de son côté? Greg est-il au courant?... Je me le suis souvent demandé.

— Je l'ignore, mais rien dans son attitude ne le laisse supposer.

— Les hommes sont aveugles. Ou alors... Greg a peut-être quelque chose à se faire pardonner lui aussi.

— Il vous a courtisée, n'est-ce pas? Je me suis bien aperçu qu'il vous tournait autour.

— C'est vrai, mais il agit de même avec tout le monde. Il est ainsi, on le connaît, et tout ce qu'il raconte n'a aucune importance. Lui-même ne doit pas y croire et se joue la comédie.

— Avez-vous la moindre estime pour lui ? Répondez-moi franchement.

— Il m'amuse, c'est un bon ami.

— Je voudrais pouvoir vous croire.

— Je ne vois pas en quoi cela vous intéresse ?

— Vous avez raison, je ne mérite pas d'autre réponse.

Evelyn se rendit à la fenêtre, regarda dehors et revint près de son mari.

— M'avouerez-vous ce qui vous tourmente réellement, Edward ?

— Je vous l'ai dit. Vous ne pouvez comprendre, je suppose, combien une folie de cette sorte peut sembler absurde une fois passée.

— Je peux toujours essayer. Mais ce qui m'inquiète pour le moment, c'est que Lucky a l'air de vous tenir à sa merci. Elle n'est pas seulement une maîtresse délaissée mais encore une tigresse aux griffes acérées. Si vous voulez que je reste avec vous, Edward, vous me devez la vérité.

Après une pause, Hillingdon déclara d'une voix sourde :

— Si je ne m'éloigne pas bientôt d'elle... je la tuerai.

— Vous êtes fou ! Mais pourquoi ?

— Par ce qu'elle m'a obligé à faire...

— Qu'elle vous a obligé à faire ?...

— Je l'ai aidée à commettre un crime.

— Vous... vous vous rendez compte de ce que vous dites ?

— Hélas !... Sur le moment je n'ai pas réalisé que je devenais son complice. Elle m'a convaincu de recopier une ordonnance qu'elle possédait, afin de se procurer des drogues chez un pharmacien. Je ne soupçonnais pas à quoi elles devaient servir.

— Quand cela s'est-il passé?

— Il y a quatre ans. Lorsque nous étions à la Martinique. Au moment où la femme de Greg...

— Dois-je comprendre que Lucky aurait empoisonné Gail?

— Avec mon aide. Lorsque j'ai réalisé...

— Lorsque vous avez réalisé ce qui s'était passé, Lucky a souligné que c'était vous qui aviez écrit l'ordonnance, vous qui aviez obtenu les médicaments, que vous et elle étiez embarqués dans le même bateau. C'est bien cela?

— Oui. Elle m'a déclaré avoir agi par pitié. Gail souffrait tellement qu'elle aurait supplié sa cousine de l'aider à en finir.

— Je vois. Un meutre par pitié! Et vous l'avez crue?

Edward Hillingdon resta silencieux un moment, puis admit:

— Non, pas vraiment. Je l'ai crue parce que je voulais bien la croire — parce que je me conduisais comme un imbécile.

— Et ensuite... lorsqu'elle épousa Greg, la croyiez-vous encore?

— Je m'étais habitué à ne pas me poser de questions lorsque c'est arrivé.

— Et Greg... que sait-il de tout cela?

— Rien.

— Difficile à admettre.

Il gémit:

— Evelyn, il faut que je me libère. Maintenant encore, cette femme m'accable de reproches. Elle se rend compte qu'elle ne m'intéresse plus. — J'en suis venu à la détester. — Elle me fait sentir que je suis lié à elle par notre complicité.

Evelyn qui marchait de long en large, s'arrêta en face de lui.

— Tout le problème vient de ce que vous êtes ridiculement sensible, Edward, et aussi, incroyablement influençable. Cette diablesse joue sur vos remords. Mais, me référant à la Bible, je vous dirai que le seul crime pesant sur vos épaules est le crime d'adultère. Parce que vous vous sentiez coupable, vous n'avez pas pu résister à Lucky qui s'est servi de vous pour combiner son meurtre, et elle a su s'arranger pour vous persuader que vous étiez son complice. Ce n'est pas vrai, Edward.

— Evelyn...

Il s'avança vers elle, mais reculant, elle le regardait fixement.

— C'est bien ainsi que ça s'est passé ? Ou m'avez-vous encore menti ?

— Evelyn ? Pourquoi agirais-je de la sorte ?

— Je ne sais pas. Il m'est peut-être devenu difficile d'accorder ma confiance à qui la réclame... J'en suis au point de ne plus même croire à la vérité lorsque je la rencontre.

— Laissons tomber tout cela. Retournons chez nous, Evelyn.

— Nous partirons. Mais pas tout de suite.

— Pourquoi pas maintenant ?

— Nous devons continuer comme à l'accoutumée pour quelque temps encore. C'est très important. Il ne faut pas laisser Lucky deviner ce que nous complotons.

.

CHAPITRE XIII

La soirée se terminait. L'orchestre typique s'arrêtait enfin de jouer. Tim, dans la salle à manger déserte, regardait dehors à travers une des baies vitrées. Puis il s'en fut éteindre des lampes sur les tables abandonnées. A ce moment, dans son dos, on demanda :

— Tim, pourrais-je vous parler un instant ?

— Hello, Evelyn ! Qu'y a-t-il à votre service ?

— Venez près de moi et asseyons-nous quelques minutes.

Elle se dirigea vers une table éloignée, où ils prirent place.

— Tim, pardonnez-moi mon indiscrétion, mais je suis vraiment inquiète au sujet de Molly.

Le visage de Kendal changea et ce fut d'une voix presque hostile qu'il demanda :

— Qu'y a-t-il au sujet de Molly ?

— A mon avis elle n'est pas très bien. Elle semble tourmentée.

— Je l'ai remarqué, en effet.

— Elle devrait voir un médecin, Tim.

— Je sais, mais elle refuse catégoriquement.

— Pourquoi ?

— Je ne comprends pas le sens de votre question ?

— Pourquoi Molly refuse-t-elle de voir un médecin ?

— Certaines personnes sont ainsi faites que la seule idée d'une consultation les effraie.

— Pourtant vous vous inquiétez aussi à son sujet, Tim?

— C'est vrai.

— N'y a-t-il personne de sa famille qui pourrait venir ici et rester auprès d'elle?

— Non, ce serait encore pis.

— S'est-il passé quelque chose entre ses parents et elle?

— Oh! des bêtises... Molly est seulement d'une sensibilité extrême et ne s'entend pas avec eux... surtout avec sa mère. Il faut reconnaître que ce sont des gens étranges. Elle s'est éloignée d'eux et je crois que cela lui a été salutaire.

— D'après ce qu'elle m'a confié, votre femme semble avoir... des absences et le monde paraît l'épouvanter. Peut-être une sorte de manie de la persécution?

— Ah! je vous en prie! Manie de la persécution! C'est ce que les gens disent toujours en parlant des autres. J'admets qu'elle est un peu nerveuse, mais... arriver dans cette mer des Antilles, se trouver brusquement entourée de Noirs... Vous n'ignorez pas que certains individus ont des réactions qui nous échappent vis-à-vis des gens de couleur.

— Ce n'est sûrement pas le cas de Molly!

— Comment comprendre les frayeurs des autres? Il y en a qui ne peuvent pas rester dans une pièce avec un chat, d'autres qui s'évanouissent si une araignée leur tombe dessus.

— Ne m'en veuillez pas de vous suggérer cela, mais ne croyez-vous pas que Molly devrait voir un psychiatre?

— Non! Je ne supporterai pas que ces individus viennent exécuter leurs singeries autour d'elle. Je n'ai aucune confiance en eux. A leur contact, on devient pire. Si sa mère ne s'était pas occupée de psychiatrie...

— Ainsi sa famille a déjà connu ce genre d'ennui? Je veux dire une espèce... d'instabilité?

— Je préfère ne pas en parler. J'ai éloigné ma femme de ce milieu, et pour ma part je l'ai toujours jugée saine d'esprit. Elle traverse en ce moment une période de dépression, mais on ne saurait parler de tare héréditaire. De nos jours, personne ne croit plus à ces fariboles.. Je vous répète que Molly est parfaitement équilibrée. Il n'y a que ces jours-ci... J'estime que c'est la mort de ce pauvre Palgrave qui a tout amené.

— Pourtant, personne ne s'est inquiété de la mort subite du major Palgrave.

— Évidemment non. Il n'empêche qu'un décès soudain peut déclencher un choc.

L'air désespéré de Tim apitoya sa voisine qui posa amicalement la main sur son bras.

— Je pense que vous savez ce que vous faites, Tim, et si je pouvais vous aider de quelque manière... peut-être emmener Molly à New York en avion, ou bien nous rendre à Miami ou en quelqu'autre endroit où elle recevrait un traitement approprié?

— C'est très aimable à vous, Evelyn, mais Molly va bien. De toute façon, elle est moins nerveuse à présent.

Mrs. Hillingdon hocha la tête en signe de doute, puis contempla au-dehors la ligne d'horizon. La plupart des pensionnaires avaient regagné leur bungalow...

Se levant, Evelyn se dirigeait vers sa table pour voir si elle n'avait rien oublié, lorsqu'une exclamation de Tim lui fit brusquement tourner la tête. Suivant le regard du jeune homme fixé vers l'extrémité de la terrasse, elle se figea à son tour.

Molly grimpait l'escalier venant de la plage. Elle semblait respirer avec difficulté et tremblait de tout son corps. Elle avançait comme une somnambule. Tim s'écria :

— Molly! Qu'est-ce qu'il y a?

Il courut vers elle, suivi d'Evelyn. Molly s'arrêta les mains derrière le dos. Les phrases sortirent de ses lèvres par bribes :

— Je l'ai trouvée... Elle est dans les buissons... là, dans les buissons... Et regardez mes mains... regardez-les!

Elle les tendit vers eux et Mrs. Hillingdon eut un mouvement de recul en apercevant ces traînées sombres qui, sous un éclairage plus vif, seraient apparues rouges.

— En bas... (Elle se balança d'un pied sur l'autre) dans les buissons...

Tim, hésita, jeta un coup d'œil à Evelyn, puis poussant sa femme vers elle, il descendit les marches en courant.

Mrs. Hillingdon entoura les épaules de sa compagne.

— Venez. Asseyez-vous, Molly. Là, je vais vous faire boire quelque chose de fort.

La jeune femme se laissa tomber sur une chaise et s'appuyant à la table, elle se cacha le visage dans ses bras repliés. Evelyn ne la questionna pas. Il valait mieux lui laisser le temps de se ressaisir.

— Tout ira bien, vous verrez. Ça se passera.

— Je ne sais pas. Je ne sais rien. Impossible de me rappeler. Je... (Elle leva brusquement la tête.) Qu'est-ce qu'il m'arrive ? Qu'est-ce qu'il m'arrive ?

— Ce n'est rien, petite fille. Ce n'est rien.

Tim remontait lentement les marches, une expression d'hébétude sur le visage. Mrs. Hilligdon leva les sourcils comme pour l'interroger.

— Victoria. Une de nos servantes... On l'a poignardée.

CHAPITRE XIV

D'un côté du lit où Molly était allongée, se tenaient le Dr Graham et le Dr Robertson de la police antillaise, Tim Kendal leur faisait face.

Robertson tâta le pouls de la jeune femme, hocha la tête à l'intention d'un homme sombre et mince, vêtu de l'uniforme de la police — l'inspecteur Weston de St. Honoré — et ordonna :

— Quelques mots seulement, inspecteur. Pas davantage.

Le policier acquiesça.

— Mrs. Kendal, dites-nous comment vous avez découvert cette fille ?

Un instant on aurait pu croire que la malade n'avait pas entendu la question. Puis elle parla d'une voix faible et lointaine.

— Dans les buissons... blanche...

— Vous avez aperçu quelque chose de blanc et vous vous êtes approchée pour vous rendre compte de ce que c'était, n'est-ce pas ?

— Oui... Blanc... Étendu. J'ai essayé... essayé de soulever... Le sang... du sang plein mes mains.

Elle se mit à trembler. Le Dr Graham hocha la tête et Robertson chuchota :

— Elle ne peut pas en supporter beaucoup plus.

— Que faisiez-vous sur le chemin de la plage, Mrs. Kendal ?

— Chaud... bon... près de la mer.

— Vous connaissiez bien cette Victoria ?

— Victoria... gentille gentille fille... Elle rit... Elle riait tout le temps... Oh!... Et maintenant, elle ne... elle ne rira plus. Je ne l'oublierai jamais... Je ne l'oublierai jamais.

Sa voix s'éleva sur un ton hystérique. Tim intervint :

— Assez! Molly, arrêtez-vous!

Le Dr Robertson se pencha sur la jeune femme, et avec une paternelle autorité :

— Doucement, mon petit, doucement, détendez-vous. Et maintenant, juste une petite piqûre et vous vous reposerez.

Après qu'il eut retiré la seringue hypodermique, il décréta :

— Elle ne sera pas en état de subir un interrogatoire pendant au moins vingt-quatre heures. Je vous préviendrai.

Le regard du grand et beau Noir alla de l'un à l'autre des deux hommes assis derrière le bureau.

— Je le déclare devant Dieu, je ne sais rien de plus que ce que je vous ai dit.

La sueur perlait à son front. Daventry soupira.

Lorsque l'inspecteur Weston eut congédié le témoin Jim Ellis, qui sortit en traînant les pieds, il remarqua le ton feutré particulier aux autochtones.

— Naturellement, il ne nous a pas tout raconté, mais c'est tout ce que nous apprendrons de lui.

— Vous croyez qu'il n'est pour rien dans le coup ? demanda Daventry.

— Oui. Ils semblaient bien s'entendre, Victoria et lui.

— Pas mariés ?

Un léger sourire effleura les lèvres du policier.

— Non. Nous ne comptons guère de mariages dans

l'île. Ils baptisent tout de même leurs enfants et Jim en a eu deux de Victoria.

— Pensez-vous qu'il aurait pu être son complice?

— Probablement pas. Il n'aurait pas eu assez de cran pour une affaire pareille. Et j'ajouterai qu'à mon avis ce qu'elle savait n'avait pas beaucoup d'importance.

— Assez cependant pour exercer un chantage?

— Peut-on parler de chantage? Je doute que la pauvre fille ait même connu ce mot-là. Tout au plus a-t-elle touché de l'argent en échange de sa discrétion. Il faut admettre que pas mal de nos visiteurs sont de riches et joyeux lurons dont la moralité a tout à craindre de la curiosité d'autrui.

Le ton du policier vibrait d'une certaine amertume.

— J'admets que des gens de toutes sortes viennent dans les îles. Une femme, par exemple, peut souhaiter qu'on ne sache pas qu'elle ne reste pas chez elle la nuit, et n'hésite pas, pour cela, à payer le silence de sa servante.

— Exactement.

— Mais cette fois le cas doit être différent car il s'agit d'un crime.

— Cependant, il m'étonnerait que la fille ait été au courant de l'importance de l'affaire. Elle a vu quelque chose d'anormal, probablement en rapport avec ce flacon de « Serenite ». J'ai cru comprendre qu'il appartenait à Mr. Dyson. Nous devrions interroger ce dernier, maintenant.

Gregory Dyson entra, affichant son air cordial habituel.

— Me voici. Que puis-je faire pour me rendre utile? Je suis navré pour cette fille. Elle était gentille et nous l'aimions bien, ma femme et moi. Je suppose qu'elle a dû avoir une soudaine querelle avec quelqu'un, car elle paraissait parfaitement heureuse et sans le moindre souci. Hier soir encore, je plaisantais avec elle.

— Mr. Dyson, vous prenez bien un médicament appelé « Serenite » ?

— Exact. Ce sont des petites pilules roses.

— Vous les obtenez sur ordonnance médicale ?

— Oui. Je peux même vous en montrer une si vous voulez. Je souffre d'un peu de tension, comme beaucoup.

— Qui était au courant de votre traitement ?

— Vous savez, je n'en parle pas. J'ai toujours été en bonne santé et je n'aime pas les personnes qui étalent leurs petites misères physiques.

— Combien de ces pilules prenez-vous ?

— Deux, trois fois par jour.

— Avez-vous plusieurs flacons d'avance ?

— Une demi-douzaine, à peu près. Ils sont enfermés dans une valise et je n'en garde qu'un sur moi.

— C'est ce flacon que vous avez égaré il y a quelques jours ?

— Oui.

— Et vous avez demandé à Victoria Johnson si elle l'avait trouvé ?

— Oui.

— Qu'a-t-elle répondu ?

— Que la dernière fois qu'elle l'avait aperçu, il était sur la tablette de notre salle de bains. Elle a ajouté qu'elle chercherait.

— Et après cela ?

— Elle me l'a rapporté hier en me demandant s'il s'agissait bien de celui que j'avais perdu.

— Quelle a été votre réponse ?

— Je lui ai demandé d'où il venait. « De la chambre du major », me répondit-elle. Naturellement, je lui marquai mon étonnement.

— Comment a-t-elle réagi ?

— Elle ne comprenait pas, mais j'ai eu l'impression qu'elle me cachait quelque chose. Toutefois, je n'ai pas insisté. Je me figurais avoir laissé mon médicament sur une table de la salle à manger où le major Palgrave aurait pu le prendre par mégarde.

— C'est tout ce que vous pouvez nous dire, Mr. Dyson?

— Oui, c'est tout. Je suis désolé de ne pouvoir vous être plus utile. Est-ce important, cette histoire de flacon?

Weston haussa les épaules :

— Au point où nous en sommes, n'importe quel détail peut révéler son importance.

— Je ne vois pas ce que les pilules font dans l'affaire. Je pensais que vous vouliez plutôt connaître mes allées et venues lorsque cette malheureuse fille a été poignardée. Je les ai toutes notées le plus exactement possible.

Weston le regarda, surpris.

— Vraiment? Cela est très aimable de votre part, Mr. Dyson.

— J'ai souhaité éviter des ennuis à tout le monde en agissant de la sorte.

A travers la table, il tendit une feuille de papier que Weston et Daventry parcoururent.

— Ça me paraît très clair, déclara le policier. Votre femme et vous changez de toilette dans votre bungalow jusqu'à neuf heures dix, ensuite vous vous rendez sur la terrasse où vous prenez l'apéritif en compagnie de la señora de Caspearo. A neuf heures quinze, le colonel et Mrs. Hillingdon vous rejoignent et tous ensemble vous allez dîner. Vous vous êtes couché approximativement à onze heures trente.

— Évidemment, j'ignore à quelle heure la fille a été tuée...

Le ton de sa voix indiquait une interrogation, mais l'inspecteur Weston ne parut pas s'en apercevoir.

— C'est Mrs. Kendal qui l'a trouvée, paraît-il. Cela a dû être un terrible choc pour elle.

— En effet. Le Dr Robertson s'est vu dans l'obligation de lui administrer un sédatif.

— Cela s'est passé très tard, n'est-ce pas, lorsque la plupart des pensionnaires étaient déjà couchés ?

— Oui.

— Était-elle morte depuis longtemps ? Au moment où Mrs. Kendal l'a découverte, je veux dire ?

— Nous ne sommes pas encore fixés sur l'heure exacte.

— Pauvre petite Molly. En fait, je ne l'ai pas vue de la soirée. J'ai supposé qu'elle souffrait d'une migraine et que ne se sentant pas bien, elle se reposait.

— Quand avez-vous vu Mrs. Kendal pour la dernière fois ?

— Assez tôt dans la soirée, avant que je n'aille me changer. Elle s'occupait de la décoration des tables et arrangeait les fourchettes, les cuillers, les couteaux. Elle paraissait très gaie à ce moment-là, plaisantant et riant. Une fille formidable... Nous l'estimons tous beaucoup et jugeons que Tim a beaucoup de chance.

— Merci, Mr. Dyson. Vous ne vous rappelez de rien d'autre à propos de ce qu'aurait pu vous dire Victoria en vous remettant votre flacon ?

— Ma foi, non.

— Elle ne vous a pas laissé soupçonner qui avait pu le mettre chez le major ?

— En tout cas, je ne m'en souviens pas.

— Eh bien ! Ce sera tout, Mr. Dyson.

Greg sorti, Weston souligna :

— Il était vraiment désireux de nous faire connaître son emploi du temps d'hier soir.

— Un peu trop, à mon avis.

— Oui... Mais, vous savez, Daventry, il y a des gens que la police effraie. Ceux-là croient toujours nécessaire de nous fournir la preuve de leur innocence, même quand on ne les accuse pas.

— L'ennui est que les coupables agissent de même, et à mon avis, personne n'a d'alibi indiscutable, avec l'orchestre, la danse et les allées et venues que cela implique. Chacun peut sortir et rentrer sans être remarqué.

Jetant un coup d'œil sur le papier qu'il tenait à la main, Daventry ajouta :

— Ainsi, Mrs. Kendal arrangeait les couverts... Je me demande si Dyson a attiré notre attention exprès sur ce détail ?

— C'est votre impression, à vous aussi ?

A cet instant, un brouhaha s'éleva dans la pièce voisine. Un homme criait d'une voix aiguë :

— J'ai des révélations à faire ! Je veux voir le gentleman de la police !

— C'est un des cuisiniers qui insiste pour vous parler. Il prétend être au courant d'un fait important.

Un mulâtre, coiffé du bonnet blanc de la profession, à l'air terrifié, bouscula le policier et lança précipitamment :

— Elle a traversé ma cuisine avec un couteau à la main. Et elle est sortie dans le jardin.

— Calmez-vous, mon vieux. De qui parlez-vous ?

— De la femme du patron : Mrs. Kendal. C'est d'elle que je parle. Elle avait un couteau à la main et elle a filé dans le jardin. Juste avant le dîner ! Et elle n'est pas revenue.

CHAPITRE XV

— Pouvez-vous nous accorder quelques instants, Mr. Kendal ?

— Mais, certainement.

Tim leva les yeux de son bureau et poussa de côté une pile de paperasses tout en indiquant des chaises à ses visiteurs. Les traits creusés, l'air abattu, il s'enquit d'une voix lasse :

— Comment vous en tirez-vous ? Vous avancez ? Il semble qu'une fatalité pèse sur cette maison. Nos hôtes veulent s'en aller, et se renseignent déjà sur les horaires aériens. Juste au moment où le succès devrait récompenser nos efforts ! Vous ne pouvez pas savoir ce que représente cet hôtel pour Molly et moi. Nous avons tout misé dessus.

— Nous comprenons combien c'est pénible pour vous, Mr. Kendal.

— Si au moins cette affaire était élucidée rapidement, peut-être que la panique serait enrayée. Cette misérable fille Victoria — oh ! je ne devrais pas parler d'elle ainsi — n'était pas mauvaise, au fond. Mais, à l'origine de tout cela il doit y avoir un motif très simple, une intrigue sentimentale, sans doute. Son mari...

— Elle n'était pas mariée avec Jim Ellis, ce qui ne les empêchait pas de bien s'entendre.

— Mais... Excusez-moi, vous êtes venus pour me poser des questions, j'imagine?

— Oui, au sujet de la soirée d'hier. D'après les rapports médicaux, Victoria a été tuée entre dix heures trente et minuit. Dans la circonstance, les alibis sont difficiles à contrôler.

— Cela signifierait-il, à votre avis, que le meurtrier serait parmi nos pensionnaires?

— C'est une hypothèse qu'il nous faut examiner. Mais nous aimerions connaître votre opinion sur le témoignage d'un de vos cuisiniers.

— Lequel?

— Il s'agit d'un Cubain, je crois.

— Nous en avons deux.

— Celui-ci s'appelle Enrico et déclare que votre femme a traversé la cuisine venant de la salle à manger, et est sortie dans le jardin tenant un couteau à la main.

— Molly tenant un couteau? Pourquoi pas, après tout? Mais... vous ne voulez pas insinuer?...

— Cela s'est passé avant que les pensionnaires n'aient gagné la salle à manger, disons... vers huit heures trente. Vous étiez vous-même en train de parler avec Fernando, le maître d'hôtel, à ce moment-là.

— Oui, je m'en souviens parfaitement.

— Et votre femme rentra, arrivant de la terrasse.

— C'est vrai. Elle inspecte toujours les tables avant le dîner. Quelquefois, les garçons disposent mal les couverts. Probablement, c'est ce qui s'est produit. Elle a dû veiller à ces détails, comme d'habitude, et pouvait très bien alors tenir un couteau à la main.

— Quand elle entra dans la salle à manger, vous adressa-t-elle la parole?

— Oui, nous échangeâmes quelques mots.

— Vous rappelez-vous ce qu'elle vous a dit?

— Je crois lui avoir demandé avec qui elle s'entretenait dehors, car j'avais cru reconnaître sa voix.

— Et qui se trouvait avec elle?

— Gregory Dyson.

— Ah! oui! Il nous l'a déclaré en effet.

— Il tentait de lui faire la cour. Une manie dont il ne parvient pas à se guérir. J'en montrai de l'humeur et m'écriai : « Que le diable l'emporte! » ce qui a beaucoup amusé Molly car elle sait se débrouiller avec ce genre d'hommes. Notre métier n'est pas toujours facile. On risque sans cesse de blesser les pensionnaires, et une jolie fille, comme Molly, doit être capable de se défendre avec un sourire ou un haussement d'épaules.

— Se sont-il disputés?

— Non, je ne pense pas.

— Vous ne pouvez affirmer si elle tenait ou non un couteau à la main?

— Je ne m'en souviens plus... pourtant je suis presque sûr qu'elle n'en avait pas... A la réflexion, j'en suis même tout à fait sûr.

— Mais, vous venez de dire...

— Comprenons-nous bien : je vous répète que si Molly se trouvait dans la salle à manger ou à la cuisine, il est probable, et normal, qu'elle ait touché un couteau. Pour ma part, je la revois parfaitement arrivant de la salle à manger les mains vides. Là-dessus, je suis formel.

— Très bien.

— Où voulez-vous en venir? Qu'est-ce que ce damné imbécile d'Enrico a bien pu vous raconter?

— Simplement que votre femme s'est rendue dans la cuisine l'air préoccupé, et qu'elle tenait un couteau.

— Il a sûrement dramatisé.

— Avez-vous eu l'occasion, un peu plus tard, dans la soirée, de reparler avec Mrs. Kendal?

— Je ne crois pas, j'ai été très occupé.

— Votre femme était-elle présente?

— Oui, nous nous dépensons beaucoup pour nos hôtes. Nous vérifions sans cesse si tout se déroule bien.

— Mais, lui avez-vous parlé?

— Non, il ne me semble pas. Nous n'avons pas le temps de bavarder dans ces moments-là.

— En résumé, vous ne vous souvenez pas lui avoir parlé jusqu'à ce que, trois heures plus tard, elle monte les marches de la terrasse après avoir découvert le corps?

— Un terrible choc pour elle, et qui l'a bouleversée.

— Je comprends. Une expérience très désagréable. Comment est-elle venue à passer sur le chemin de la plage?

— Après les corvées du dîner, elle s'offre souvent une petite promenade pour changer d'air et s'écarter un peu des pensionnaires.

— Lorsqu'elle réapparut, vous vous entreteniez avec Mrs. Hillingdon, n'est-ce pas?

— C'est cela même. Tous les autres s'étaient retirés.

— De quoi discutiez-vous avec Mrs. Hillingdon?

— Oh! Rien de spécial, ou du moins que j'aie retenu. Elle vous a dit quelque chose?

— Nous ne l'avons pas encore interrogée. Lorsque votre femme s'est montrée, elle avait du sang sur les mains?

— Naturellement! Elle s'était penchée sur Victoria pour tenter de lui porter secours. C'est normal, non? Insinueriez-vous, par hasard...

— Je vous en prie, calmez-vous, Mr. Kendal. Je devine que toute cette histoire vous éprouve, mais nous devons exercer notre métier. Il paraît que depuis quelque temps Mrs. Kendal ne se sent pas très bien?

— Ridicule! Elle est en parfaite santé. Sans doute a-t-elle été contrariée par la mort du major Palgrave, ce qui est naturel.

— Il nous faudra cependant lui poser quelques questions, lorsqu'elle sera en état d'y répondre.

— Pas maintenant, en tout cas! Le docteur lui a administré un sédatif et n'entend pas qu'on la dérange. Je ne supporterai d'ailleurs pas qu'on l'ennuie ou qu'on la maltraite!

— Nous n'en avons pas l'intention. Nous ne la verrons que sur autorisation médicale.

La voix de Weston était douce, mais inflexible. Tim le regarda, ouvrit la bouche pour répliquer, mais se retint.

Evelyn Hillingdon, maîtresse d'elle-même, comme toujours, s'assit sur la chaise qu'on lui indiquait. Calme, réfléchie, elle prit son temps pour répondre aux questions qu'on lui posait. Ses yeux noirs et intelligents observaient attentivement Weston.

— Oui, je bavardais avec Mr. Kendal lorsque sa femme nous a mis au courant du meurtre.

— Votre mari n'était pas là?

— Non, il dormait déjà.

— Aviez-vous une raison spéciale pour rencontrer Mr. Kendal?

Evelyn devina le blâme caché.

— Quelle étrange question... Non, aucun motif particulier à notre rencontre.

— Avez-vous évoqué la santé de sa femme?

Après un moment de silence, Evelyn répondit :

— Je ne m'en souviens absolument pas.

— En êtes-vous sûre?

— Sûre que je ne m'en souviens pas. Curieuse remarque! On effleure tant de sujets au cours de ces sortes de bavardages.

— Mrs. Kendal ne vous a pas paru en mauvaise santé, ces derniers temps?

— Non, elle me semble bien portante, un peu fatiguée, peut-être... Il est certain que s'occuper d'un endroit comme celui-ci donne beaucoup de soucis, et elle a très peu d'expérience. Naturellement, il lui arrive d'être agitée de temps à autre.

— Agitée ? C'est ainsi que vous interpréteriez son état ?

— Un mot démodé, peut-être, mais aussi juste que le jargon moderne dont nous nous servons aujourd'hui : « virus infectieux », pour une crise de foie, « névrose anxieuse », pour les tracas quotidiens.

Son sourire donna à Weston l'impression d'être ridicule. Il jugea Evelyn Hillingdon une femme intelligente. Il jeta un coup d'œil à Daventry, toujours aussi impénétrable, et se demanda ce qu'il pensait.

— Nous ne voulons pas vous ennuyer, Mrs. Kendal, mais nous aimerions que vous nous racontiez de quelle façon vous avez découvert le cadavre. Le Dr Graham assure que vous êtes suffisamment bien maintenant pour en parler.

— Je me sens, en effet, beaucoup mieux. (Elle leur adressa un petit sourire crispé.) C'est le choc, vous comprenez ? Ce fut assez effrayant.

— Je crois me rappeler que vous étiez sortie pour prendre l'air, après le dîner ?

— Oui, cela m'arrive souvent.

Daventry nota que le regard de la jeune femme fuyait et qu'elle nouait nerveusement ses mains.

— Vous souvenez-vous à quelle heure vous avez quitté l'hôtel, Mrs. Kendal ?

— Non. Ici, nous ne nous préoccupons pas beaucoup de l'heure.

— L'orchestre jouait-il encore ?

— Oui... Du moins... il me semble.

— Et vous alliez de quel côté ?

— Je suivais le chemin de la plage.

— A gauche ou à droite ?

— D'un côté et de l'autre, au hasard.

— Au hasard ?

Elle fronça les sourcils.

— Je devais réfléchir.

— A quelque chose en particulier?

— Non... Rien de précis. Les diverses corvées de l'hôtel.

De nouveau, ce mouvement nerveux des mains.

— Et puis, j'aperçus une forme blanche dans un massif d'hibiscus... Je me suis demandé ce que c'était. M'arrêtant, j'ai vu qu'il s'agissait de... Victoria... recroquevillée. J'ai essayé de lui soulever la tête, et j'ai eu... du sang... sur les mains...

Elle les regarda, répétant, comme si elle ne parvenait pas à réaliser :

— ... Du sang... sur mes mains...

— Ne pensez plus à cela. Depuis combien de temps, à votre avis, vous promeniez-vous lorsque vous l'avez découverte?

— Aucune idée.

— Une demi-heure, une heure, plus d'une heure?

— Je ne sais pas.

Daventry demanda d'une voix neutre :

— Avez-vous pris un couteau avec vous, en partant pour cette promenade?

— Un couteau? Pour quoi faire?

— Un de vos cuisiniers vous a vue sortir dans le jardin avec un couteau.

— Mais, je ne venais pas de la cuisine... Ah! Vous voulez dire plus tôt, avant le dîner... Mais franchement, je ne pense pas avoir tenu un couteau à ce moment-là.

— Peut-être veniez-vous d'arranger les couverts sur les tables?

— Je m'en occupe quelquefois, c'est vrai, car les couverts sont toujours mal disposés. Trop de cuillers, pas assez de couteaux, etc.

— Cela s'est-il produit justement hier soir?

— Une habitude devenue tellement automatique qu'on n'y prête guère attention.

— Il est donc possible que vous soyez sortie de la cuisine, un couteau en main.

— Je suis sûre que non, d'ailleurs, Tim était là et peut-être s'en souviendra-t-il si vous le lui demandez ?

— Étiez-vous contente du service de Victoria ?

— Très. Une bien gentille fille.

— Vous ne vous êtes pas disputée avec elle ?

— Disputée ? Non.

— Elle ne vous menaça jamais de quelque manière ?

— Me menacer ? Qu'entendez-vous par là ?

— Aucune importance, oubliez ma question. Vous ne soupçonnez personne de ce meurtre ?

— Non.

— Eh bien ! Ce sera tout, Mrs. Kendal. Vous voyez, cela n'a pas été terrible ?

Daventry ouvrit la porte à la jeune femme et la regarda s'éloigner.

— Tim s'en souviendra... (répéta-t-il en revenant s'asseoir). Et Tim affirme qu'elle ne tenait pas de couteau.

Weston répliqua :

— J'ai le sentiment que c'est ce que n'importe quel mari répondrait à sa place.

— Un couteau me paraît une arme dérisoire pour poignarder quelqu'un.

— Il y avait des steaks au menu d'hier soir, et les couteaux à découper sont très acérés.

— Je n'arrive pas à croire que cette femme puisse être une meurtrière endurcie.

— Nous n'avons pas à le croire ou à ne pas le croire, pour l'instant. Il peut se faire que Mrs. Kendal ait gagné le jardin avant la dîner, serrant dans la main un couteau inutile qu'elle aurait retiré d'une table. Elle peut très bien ne pas avoir même remarqué qu'elle le tenait, et l'aura laissé quelque part, ou perdu, là où le futur meurtrier l'a ramassé. J'imagine mal, moi aussi, Mrs. Kendal sous les traits d'une meurtrière.

— Néanmoins, je suis presque sûr qu'elle ne nous a pas dit tout ce qu'elle savait. Son manque de précision, à propos de l'heure, est bizarre. Où se rendait-elle exactement ? Personne, jusqu'ici, ne semble l'avoir remarquée dans la salle à manger au cours de la soirée. Se proposait-elle de rencontrer Victoria Johnson ?

— Possible... Ou bien elle a vu qui avait rendez-vous avec la victime.

— Vous songez à Gregory Dyson ?

— Nous savons que plus tôt, dans la soirée, il s'est entretenu avec Victoria. Il a pu la rejoindre de nouveau par la suite. N'oubliez pas qu'ici tout le monde va et vient à sa fantaisie.

CHAPITRE XVI

Un observateur qui aurait aperçu la charmante vieille dame, semblant méditer sous sa loggia, à l'extérieur de son bungalow, aurait sûrement pensé qu'elle n'avait rien d'autre en tête que l'établissement de son emploi du temps de la journée. Peut-être une expédition à Castle Cliff, ou une visite à Jamestown, ou tout simplement une tranquille matinée sur la plage.

Mais la charmante vieille dame méditait sur de tout autres thèmes, et se trouvait dans des dispositions comba-tives. « Il faut faire quelque chose, et vite », pensait Miss Marple. Mais qui pouvait-elle convaincre ? Disposant de plus de temps, elle serait sans doute arrivée seule à la vérité. Elle possédait déjà pas mal d'indices... Mais pas assez. Et les heures passaient... Elle se disait avec amertume que, sur cette île de Paradis, il lui était impossible de compter sur ses alliés habituels qui se trouvaient bien loin de là, en Angleterre : Sir Henry Clithering — toujours disposé à l'écouter avec indulgence —, son beau-fils Dermot qui, en dépit de son poste important à Scotland Yard, savait que lorsque Jane Marple formulait une hypothèse, elle reposait toujours sur des observations solides. Tandis que ce Weston, à la voix douce, ne prêterait pas attention aux adjurations d'une vieille demoiselle. Quant au Dr Graham, il n'était pas celui dont elle avait besoin : trop doux, trop hésitant, et sûrement incapable de prendre des décisions rapides et énergiques.

Miss Marple, ayant la conviction intime d'être un porte-parole du Tout-Puissant, se plaignit presque à voix haute de son isolement, en récitant les phrases de la Bible : « *Qui me cherchera?* » « *Qui enverrai-je quérir?* »

Le bruit qui parvint à ses oreilles ne lui apparut pas tout de suite comme une réponse à sa pieuse demande. Ce n'était pour elle que le cri lancé par un homme à son chien :

— Hé!

Toujours plongée dans ses pensées moroses, Miss Marple ne prit pas garde à cet appel.

— Hé!

Le ton se fit plus brutal, et la distraite regarda vaguement autour d'elle.

— Hé! (répéta impatiemment Mr. Rafiel.) Hé! Vous, là-bas!

La vieille demoiselle ne pouvait imaginer du premier moment que ce « Hé! » s'adressait à elle. Jusqu'ici on n'en avait jamais usé de la sorte pour l'interpeller. Des manières, à la vérité, peu dignes d'un gentleman. Mais elle ne s'en froissa pas, car il était impossible de s'irriter des façons autoritaires de Mr. Rafiel. Il suivait ses propres lois, et il fallait l'accepter ainsi. De sa propre loggia, le vieil original faisait des signes pour attirer l'attention de sa voisine.

— Vous m'appelez?

— Naturellement, je vous appelle! A qui croyez-vous que je m'adressais? Au chat? Venez ici!

Miss Marple prit son sac à ouvrage et s'avança dans l'allée, tandis que Mr. Rafiel expliquait :

— Je ne puis aller à vous, à moins que l'on m'aide, alors venez à moi.

— Je comprends.

— Asseyez-vous, je veux vous parler. Quelque chose de bougrement bizarre se passe sur cette île!

— Je suis de votre avis.

Machinalement, Miss Marple sortit son tricot.

— Ne commencez pas à tricoter! Je ne peux le supporter! Je déteste les femmes qui tricotent, elles m'exaspèrent!

Sans protester, elle obéit au malade hargneux.

— Les commérages vont bon train, et je parie que vous êtes au tout premier rang avec le chanoine et sa sœur, hein?

— Les circonstances expliquent et excusent ces commérages, ne croyez-vous pas?

— On poignarde une fille des îles et on la trouve dans les buissons. Une histoire assez sordide! Le type avec lequel elle vivait est peut-être devenu jaloux, ou lui-même entretenait de son côté une intrigue sentimentale, et ils se seront disputés. Qu'est-ce que vous en dites?

— Non.

— Les autorités sont de votre avis.

— Ils en racontent sûrement plus à vous qu'à moi.

— Et pourtant, je ne serais pas étonné que vous en sachiez plus que moi. Vous avez écouté les racontars?

— Évidemment.

— Il est vrai que vous n'avez pas grand-chose d'autre à faire.

— C'est parfois instructif et utile.

— Je crois bien que je me suis trompé à votre sujet, et pourtant, je ne commets pas souvent d'erreurs en jugeant les autres. Il y a en vous beaucoup plus que je ne le soupçonnais. Toutes ces rumeurs à propos du major Palgrave et des histoires qu'il racontait... Vous pensez qu'on l'a, éliminé?

— J'en ai peur.

— Eh bien! Vous partagez l'opinion de Daventry. Je ne trahis pas une confidence, car tout le monde connaîtra bientôt les résultats de l'autopsie. Vous avez rapporté quelque chose à Graham, qui l'a confié à Daventry, ce dernier avisa l'administrateur, lequel a alerté le C.I.D., et

112

ces Messieurs de la police criminelle, ayant estimé que l'affaire s'avérait louche, ont décidé d'exhumer le vieux Palgrave.

— Et ils ont trouvé quelque chose?

— ... Qu'il avait absorbé une dose mortelle d'un produit que seul un spécialiste pouvait identifier. Autant que je m'en souvienne, ça paraîtrait vaguement être du Di-flor, Hexagonalethylcarbenzol. Le médecin de la police l'a ainsi nommé afin que personne ne sache, je pense, de quoi il s'agit en réalité. Le poison porte probablement un gentil nom très simple, comme « Evipan » ou « Veronal ». Quelle que soit l'appellation du produit, une bonne dose de ce médicament peut entraîner la mort, et les symptômes ressembleraient assez à ceux d'une hypertension aggravée par une trop grande absorption d'alcool au cours d'une joyeuse soirée. Le coup a failli réussir, et personne ne songeait à se poser de questions. On s'est contenté de plaindre Palgrave et de l'enterrer rapidement. Maintenant, on se demande s'il a jamais eu de tension, alors que tout le monde acceptait le fait comme certain.

— Il a pourtant bien dû le confier à quelqu'un pour qu'on l'ait répété?

— Oui, comme pour les fantômes. Vous ne rencontrez jamais le type qui en a vu un lui-même. C'est toujours le second cousin de sa tante, ou un ami, ou l'ami d'un ami. On a pensé que le major avait de la tension à cause du flacon de pilules trouvé dans sa salle de bains, mais je crois comprendre que la fille qu'on a tuée a raconté que ce flacon avait été mis là par quelqu'un d'autre et qu'en définitive, il appartenait à ce Greg.

— En tout cas, le bruit s'est répandu que le major avait déclaré souffrir de tension.

— Il est très facile de faire circuler une fausse information.

— Je suis bien de votre avis.

— Il n'est besoin que d'un murmure de-ci, de-là... Naturellement, vous ne savez rien par vous-même. On vous a dit... C'est toujours « on », et il est impossible de remonter à celui qui a donné le coup d'envoi de ce bobard.

— Un malin...

— Très malin, en effet.

— Victoria a dû voir ou apprendre quelque chose ? Peut-être s'est-elle essayée au chantage ? Il est possible aussi qu'elle n'ait pas réalisé tout de suite l'importance de ce qu'elle avait surpris.

— De toute façon, on l'a poignardée.

— Il est évident que quelqu'un ne pouvait se permettre de la laisser bavarder.

— Je serais curieux de savoir ce que vous en pensez ?

— Pourquoi vous figurez-vous que je possède plus de lumières que vous sur la question, Mr. Rafiel ?

— Je ne me figure rien, mais j'aimerais entendre votre opinion. C'est à vous que Palgrave a sans doute le plus parlé, et j'estime que personne d'autre n'aurait eu votre patience.

— Il m'a raconté, en effet, bon nombre d'histoires, mais ce doit être une manie commune à tous les hommes qui vieillissent.

Mr. Rafiel lui lança un regard perçant.

— Dites donc, je ne raconte pas d'histoires, moi ! Allez-y. Je vous écoute !

— Un jour, il a prétendu connaître un meurtrier. Cela n'avait rien d'exceptionnel, en soi.

— Comment ça, rien d'exceptionnel ?

— Il vous est sûrement arrivé, au cours de votre existence, d'entendre quelqu'un affirmer : j'ai bien connu Un Tel qui est mort si brusquement. Pour moi, c'est sa femme qui avait fait le coup. Les éternels ragots.

— Oui, bien sûr, mais jamais des gens qui parlaient sérieusement.

— Tout le problème est là. Le major, lui, était terriblement sérieux, et appuyait ses dires sur une photo qu'il montrait à qui voulait la voir.

— Vous l'avez vue, vous ?

— Non, au moment où il allait me la montrer, il s'est ravisé et l'a cachée précipitamment.

— Pourquoi ?

— Parce qu'il a aperçu quelqu'un à cet instant.

— Qui ?

— Une personne qu'il a regardée par-dessus mon épaule droite, alors que nous nous trouvions à l'extérieur de mon bungalow.

— Donc, ce quelqu'un venait obligatoirement de la plage ou du parking. Qui arrivait à ce moment-là ?

— Les Dyson et les Hillingdon. D'autre part, il est possible que Palgrave ait regardé votre bungalow.

— Ah ?... Alors, nous ajoutons aux suspects, Esthers Walters et Jackson.

— Le major a parlé d'un meurtrier et non d'une meurtrière.

— Dans ce cas, nous écartons Evelyn Hillingdon, Lucky et Esther. Il ne nous reste plus que Dyson, Hillingdon ou mon beau parleur de Jackson.

— Ou vous-même.

— Ah ! ne commencez pas à m'énerver ! Dans tout cela, il y a une chose qui me frappe et à laquelle vous ne semblez pas avoir pensé. Si c'est l'un de ces trois hommes, pourquoi Palgrave ne l'a-t-il pas reconnu plus tôt, puisqu'il les rencontrait journellement ?

— Dans son histoire, le major soulignait que personnellement, il n'avait jamais vu le meurtrier. Il s'agissait du récit d'un médecin qui lui donna le cliché à titre de curiosité. Dans ces conditions, il n'était pas forcé d'établir une comparaison, même en côtoyant ce criminel. A mon avis, le hasard a joué un grand rôle dans cette affaire. Examinant la photo qu'il se proposait de me montrer, le major a levé les yeux, et a subitement vu un homme ressemblant à celui dont il tenait le portrait entre les mains. D'où son émotion bien compréhensible.

— Oui... Oui... Une hypothèse valable, quoiqu'il puisse avoir été victime d'une illusion... Pourtant, il y a quelque chose qui ne colle pas. Le motif ne tient pas. Il vous parlait à voix haute, n'est-ce pas ?

— Oui, comme toujours, d'ailleurs.

— Ainsi, n'importe qui, en approchant, pouvait entendre ce qu'il disait ?

— J'imagine que sa voix portait assez loin.

— Enfin, c'est quand même fantastique ! Voilà un vieux niais qui raconte un événement découlant d'un autre événement, qu'un tiers lui a rapporté, qui montre une photo et le tout ayant trait à un meurtre commis il y a des années. En quoi cela pourrait-il inquiéter le meurtrier ? Aucune preuve, rien que des « on-dit ». L'intéressé aurait même pu admettre sa ressemblance avec le type de la photo, car personne ne risquait de prendre au sérieux les théories du vieux Palgrave. Non... En vérité, le supposé coupable n'avait absolument rien à craindre. Et dans ces conditions, pourquoi diable serait-il allé tuer le bavard ?

— C'est bien cela qui me gêne, à tel point que je n'ai pu en dormir la nuit dernière.

— Quelle idée avez-vous derrière la tête ?

— Je puis me tromper complètement...

— Probable ! Dites-le-moi tout de même.

— Il y aurait un motif sérieux, si...

— Si quoi ?

— ... Si très bientôt, un autre meurtre se produisait.

— Éclaircissons ce point, s'il vous plaît ?

— Je suis tellement malhabile à expliquer. Supposons qu'on projette un meurtre... Vous vous souvenez de l'histoire que le major me raconta concernant un homme

116

dont la femme mourut dans des circonstances suspectes ?
Puis, quelque temps plus tard, cet autre meurtre perpétré
exactement dans les mêmes conditions ? Et le docteur qui
relatait ce dernier cas, reconnut dans son auteur le triste
héros du premier crime. Simplement, il portait une identité
différente. Il semblerait donc que ce meurtrier soit de
ceux qui font d'une méthode une habitude. Selon moi, et
d'après ce que j'ai lu et entendu, quelqu'un qui commet un
acte immoral et s'en sort, est, hélas ! encouragé à recommencer. Il s'estime le plus habile des hommes et renouvelle
son forfait en changeant chaque fois son état civil. Il est
donc possible, quoique je puisse me tromper...

— Mais, vous êtes sûre de ne pas vous tromper, n'est-ce
pas ?

— ... Que si ce criminel a pris toutes ses précautions pour
accomplir un nouveau meurtre ici, sous une identité
nouvelle : alors l'anecdote du major prend toute son
importance. Le coupable, dans ce petit monde fermé où
nous vivons, ne pouvait permettre qu'on établisse le moindre
rapprochement entre l'homme de la photo et lui-même.

— Donc, d'après vous, le meurtrier aurait agi dans la
nuit suivant la soirée où il aurait vu, et peut-être entendu,
le major vous raconter sa propre histoire ?

— Exactement.

— Travail précipité, mais réalisable. Il suffisait de
placer le flacon de « Serenite » dans la chambre de la
victime, faire circuler la rumeur au sujet de sa tension, et
verser un peu de ce poison au nom barbare dans un verre
de punch.

— Mais tout cela c'est le passé. Ce qui importe, maintenant, c'est l'avenir. Le major Palgrave écarté, la photo
détruite, le criminel doit continuer à préparer son nouveau
forfait.

— En somme, vous avez tout résolu, à ce que je
comprends !

117

D'une voix changée, presque autoritaire, Miss Marple précisa :

— Il faut faire obstacle à ce plan monstrueux. Vous devez vous y opposer, Mr. Rafiel.

— Moi ? Pourquoi, moi ?

— Parce que vous êtes un homme riche et puissant, les autres prêteront attention à ce que vous leur direz, alors qu'ils ne m'écouteraient pas, jugeant que je suis une vieille radoteuse ne sachant pas ce qu'elle raconte.

— C'est bien possible, ils seraient assez bêtes pour se comporter ainsi. Je dois avouer, toutefois, que personne ne vous accorderait la moindre intelligence si l'on devait s'en reporter à votre habituel répertoire. Dans le fond, vous avez un esprit très logique, ce qui est rare chez une femme.

Il se tourna péniblement sur son siège.

— Où diable sont passés Esther et Jackson ? J'ai besoin d'être réinstallé sur mon siège. Ah ! Non. N'essayez pas de m'aider, vous n'êtes pas assez forte ! Je ne comprends pas pourquoi ces deux-là m'abandonnent !

— Désirez-vous que j'aille les chercher ?

— Non, restez où vous êtes, et réfléchissons à notre affaire. Quel est le coupable ? L'étonnant Greg ? Le paisible Edward Hillingdon, ou mon Jackson ? Car il faut bien que ce soit l'un des trois, n'est-ce pas ?

CHAPITRE XVII

— Je me le demande..., remarqua pensivement Miss Marple.

— Vous vous le demandez, après tout ce que vous venez de me raconter?

— Je me suis peut-être trompée...

Mr. Rafiel laissa éclater sa mauvaise humeur.

— Vous auriez donc divagué, alors que vous paraissiez si sûre de vous?

— Attention! Pour ce qui est du crime, je suis sûre de ne pas faire d'erreur, mais c'est sur la personnalité du meurtrier que je continue à m'interroger. Vous comprenez, je réalise que le major Palgrave connaissait des tas d'histoires de meurtres; vous-même, n'en avez-vous pas cité une où il est question d'une sorte de Lucrèce Borgia?

— D'accord, mais c'était complètement différent.

— Je sais. De son côté, Mrs. Walters a entendu un autre récit, au sujet de quelqu'un dont on aurait introduit la tête dans un four à gaz. Voyez-vous, Mr. Rafiel, je ne cesse de m'interroger pour essayer de me rappeler si, oui ou non, à un moment quelconque, je n'ai plus prêté attention au major. Je ne me souviens bien que de l'instant où il m'a dit : « Vous plairait-il de voir la photo d'un meurtrier? » Et maintenant, je me demande si cette photo se rapportait bien à l'hsitoire qu'il me contait.

— L'ennui, avec vous, ma chère, est que vous réfléchissez trop. Grave erreur... Prenez une décision et tenez-vous-y! Vous étiez plus assurée, tout à l'heure. Si vous voulez mon avis, tous les bavardages que vous avez entendus vous ont entraînée à douter de vous.

— Vous avez peut-être raison.

— Eh bien! oubliez tout cela pour l'instant et revenons où nous en étions restés. Neuf fois sur dix, le premier jugement est le bon, du moins c'est ma théorie. Nous avons trois suspects. Prenons-les, l'un après l'autre, et examinons leur cas sans passion. Vous avez une préférence pour commencer?

— Aucune.

— Occupons-nous d'abord de Greg. Je ne peux pas sentir ce type-là. Ce n'est évidemment pas une raison pour qu'il soit un meurtrier. Cependant il y a un ou deux faits qui sont contre lui. Le flacon de « Serenite » lui appartenait.

— Une preuve un peu trop évidente, ne croyez-vous pas?

— Pourquoi? Après tout, l'important, pour le meurtrier, était d'agir vite, et il avait ces pilules. Admettons que ce soit Greg. Bon. Dans ce cas, il faut accepter qu'il souhaite se débarrasser de sa chère Lucky (et entre nous, il serait bien inspiré), mais, pour l'heure, je ne vois pas quels motifs l'inciteraient à ce meurtre? Autant que je sache il est riche, ayant hérité de sa première épouse qui possédait une jolie fortune. A moins qu'il se soit fait une spécialité de tuer ses femmes! Mais pourquoi Lucky? Elle était la parente pauvre de la défunte. Donc, pas d'argent à espérer de sa mort. Dans ces conditions, s'il veut l'éliminer, c'est pour en épouser une autre. Vous n'avez rien recueilli à ce sujet, parmi tous les ragots?

— Je ne m'en souviens pas. Greg est très empressé auprès de toutes les femmes.

— En vérité, c'est un coureur. Mais, qu'il flirte, cela ne nous suffit pas. Il nous faut quelque chose de plus solide.

Laissons-le pour l'instant et passons à Edward Hillingdon. Si quelqu'un cache son jeu, c'est bien lui.

— Je ne le crois pas heureux.

— Pensez-vous qu'un meurtier puisse être un homme heureux?

— D'après mon expérience, oui.

— Votre expérience! Vous ne devez pas en avoir beaucoup sur ce sujet!

Ce en quoi il se trompait. Mais Miss Marple se retint de le contredire, n'ignorant pas que les hommes détestent entendre contester leurs jugements.

Mr. Rafiel reprenait :

— J'accorderais assez, quant à moi, la préférence à Hillingdon. J'ai idée qu'il y a quelque chose de bizarre entre sa femme et lui. L'avez-vous remarqué?

— Sans aucun doute, bien que leur attitude en public soit sans reproche.

— Vous en savez probablement plus sur ces gens que moi-même. Bon, très bien, tout est pour le mieux, en somme, nous pouvons retenir que sous des apparences très correctes, Edward Hillingdon ne s'entend pas avec son épouse. Vous êtes d'accord?

— S'il en est ainsi, il doit y avoir une autre femme dans sa vie.

— Mais laquelle?

— Comment le deviner, et puis... j'ai le sentiment que ce serait un peu simple aussi comme solution.

— Dans ces conditions, il ne nous reste plus que Jackson, parce que j'espère que moi, vous me laissez en dehors de tout cela?

Pour la première fois, Miss Marple sourit.

— Et pourquoi?

— Parce que si vous envisagez l'hypothèse de ma culpabilité, il faut obligatoirement que vous me donniez un complice, sinon je serais curieux de savoir de quelle façon je pourrais m'y prendre? Impotent, couché et levé comme un enfant, habillé, promené dans une chaise roulante, comment serais-je allé tuer quelqu'un?

— Vous conviendrez, Mr. Rafiel, que vous êtes intelligent!

— Naturellement, que je suis intelligent! Je dirais même, beaucoup plus que quiconque, dans cet hôtel.

— Il vous serait donc possible, étant intelligent, de trouver le moyen de surmonter votre handicap physique pour commettre un meurtre.

— Cela demanderait une longue préparation.

— Sûrement, mais qui ne serait pas pour vous déplaire.

Mr. Rafiel la regarda un moment, puis soudain éclata de rire.

— Vous avez du cran! Vous n'êtes pas du tout la gentille petite bonne femme écervelée que vous sembliez être, hein? Ainsi, vous pensez vraiment que je suis un meurtrier?

— Non.

— Ah? Et pourquoi pas?

— Justement parce que vous êtes intelligent, et que par là, il vous est loisible d'obtenir presque tout ce que vous désirez sans avoir recours au crime. Tuer est stupide.

— Et de toute façon, qui diantre voudrais-je éliminer?

— Une question intéressante à approfondir. Je n'ai pas encore eu suffisamment le temps de vous étudier pour élaborer une théorie à ce sujet.

Le sourire de Mr. Rafiel s'épanouit.

— Savez-vous qu'il y a un certain danger à discuter avec vous?

— Les conversations sont toujours dangereuses si l'on a quelque chose à cacher.

— Vous avez probablement raison. Revenons à Jackson. Quelle est votre opinion à son sujet?

— Difficile à dire. Je n'ai pas eu l'occasion de m'entretenir sérieusement avec lui.

122

— Aucune théorie en ce qui le concerne?

— Il me rappelle un peu un jeune secrétaire de mairie, près de chez moi, Jonas Parry.

— Et alors?

— Il laissait à désirer.

— Jackson, lui aussi, laisse à désirer, mais je ne m'en plains pas trop. Il est parfait dans son travail et ne se formalise pas si je l'injurie. Il sait parfaitement qu'il est très bien payé et en échange, supporte mon mauvais caractère. Je ne l'emploierais cependant pas dans un poste de confiance. J'ignore si son passé est limpide ou non. Ses références étaient bonnes, quoique j'ai cru discerner en les lisant, comme une sorte de réserve de la part de ses précédents employeurs. Par bonheur, je n'ai pas de secrets coupables à cacher, aussi je ne puis être un sujet de chantage?

— Pas de secrets? Et les secrets de votre profession?

— Jackson n'a aucune prise sur ceux-là. Non. Il est du genre un peu obséquieux, peut-être, mais je ne l'imagine pas en meurtrier.

Il parut méditer un moment, puis déclara brusquement :

— Avez-vous conscience que si quelqu'un regardait cette affaire d'un peu haut, il la jugerait complètement stupide? Ce n'est pas Palgrave, mais moi qu'on aurait dû liquider. Je suis la victime idéale des histoires criminelles traditionnelles où l'on assassine toujours de vieux gentlemen très riches, entourés de toute une parentèle qui rêve de mettre la main sur leur fortune. Il y a cinq ou six hommes à Londres qui n'éclateraient pas en sanglots s'ils apprenaient ma mort en parcourant la nécrologie dans le *Times*. Mais ils n'iraient quand même pas jusqu'à élaborer un plan en vue de précipiter ma fin. Après tout, pourquoi le feraient-ils? Je dois mourir d'un moment à l'autre. Au vrai, toute cette vermine est choquée que je dure aussi longtemps. Les médecins eux-mêmes sont surpris.

— Vous avez sans doute un ardent désir de vivre?

— Cela vous étonne?

— Oh! non! La vie a plus de prix et présente plus d'intérêt lorsqu'on est sur le point de la perdre. Il n'y a que les jeunes pour se suicider par désespoir d'amour.

— Tout à fait juste! Mais ne croyez-vous pas que j'ai raison en me désignant comme une victime idéale?

— Qui tirerait avantage de votre mort?

— Personne en vérité. Je ne suis pas assez fou pour laisser une grosse somme d'argent à diviser entre mes héritiers. Il ne leur en resterait pas grand-chose après que le gouvernement se serait servi. Oh! non! j'ai réglé tout cela, il y a des années : dots, legs et tout le reste.

— Votre mort ne profiterait pas à Jackson?

— Elle ne lui rapporterait pas un centime! s'écria gaiement Mr. Rafiel. Je le paie deux fois plus que n'importe quel autre patron, et il sait très bien que ce sera lui le perdant, le jour où je mourrai.

— Et Mrs. Walters?

— La même chose. C'est une brave fille. Secrétaire irréprochable, intelligente, bon caractère, ne prenant pas ombrage de mes manies et mes emportements. Elle m'irrite parfois, mais qui ne le fait pas? Elle n'a rien d'exceptionnel, et pourtant je n'aurais pu mieux tomber. Elle a eu beaucoup d'embêtements au cours de sa vie, en épousant un bon à rien. Je la crois dépourvue de sens critique en ce qui concerne les hommes. Certaines femmes sont ainsi, qui se laissent prendre aux belles paroles du premier type rencontré, toujours convaincues que ce dont il a besoin c'est d'une épouse qui le comprenne! Après le mariage, il se transformera et se lancera dans la vie avec courage! Naturellement ce n'est jamais vrai! Enfin, heureusement que son mari est mort en passant sous un bus un soir qu'il était soûl! Ayant une fille à élever, Esther reprit son travail de secrétaire. Depuis cinq ans, elle est avec moi. Je lui ai bien fait comprendre dès le début, qu'elle ne devait pas nourrir d'illusions quant à mon héritage. Je l'ai toujours payée très largement, augmentant chaque année son salaire. Quelle que soit l'honnêteté des gens, il ne faut jamais leur accorder trop de confiance. Si Esther met de côté une grande partie de ce que je lui donne — et c'est, je pense, ainsi qu'elle agit — elle possédera une petite somme rondelette le jour où je casserai ma pipe. Je m'occupe de l'éducation de sa fille pour laquelle j'ai mis une dot en lieu sûr, qu'elle touchera à sa majorité. Dès lors, Mrs. Esther Walters a tout intérêt à ce que je ne meure pas trop vite.

— S'entend-elle bien avec Jackson?

— Oh! je pense que Jackson a essayé de lui faire la cour, surtout ces derniers temps. Il a pour lui, que c'est un beau garçon, certainement, mais il n'a pas réussi, pour une seule et simple raison : la différence de classes sociales. Esther se trouve juste à un échelon au-dessus de lui. Si la différence était plus grande, ça n'aurait pas d'importance, mais la petite bourgeoisie est très exigeante. Sa mère, à elle, était institutrice et son père employé de banque. A mon avis, je ne crois pas qu'elle s'entiche jamais de Jackson, qui — d'autre part — est sûrement intéressé par ses économies.

— Attention, la voici!

Ils regardèrent Esther Walters qui s'avançait vers eux, venant de l'hôtel.

— Vous savez, elle n'est pas laide du tout, remarqua Mr. Rafiel, mais elle manque totalement de charme. Je me demande pourquoi car elle est assez bien bâtie?

Malgré ses cheveux blonds, une jolie peau, des yeux noisettes, une silhouette gracieuse et un sourire agréable, il manquait à Esther ce qui pousse un homme à tourner la tête lorsqu'il croise une femme dans la rue.

— Elle devrait se remarier.

— Naturellement! Elle serait une excellente épouse. (Puis s'adressant à la jeune femme qui s'approchait,

Mr. Rafiel remarqua d'un ton légèrement faux :) Vous voilà enfin! Qu'est-ce qui a bien pu vous retenir si long-temps?

— Tout le monde semble s'être donné le mot pour envoyer des câbles ce matin, de plus il y a ceux qui essayent d'asseoir leur opinion sur le meurtre. Le pauvre Tim Kendal se fait un sang d'encre...

— Je m'en doute. Vous savez, Esther, Miss Marple et moi avons parlé de ce crime, je me suis trompé à son sujet, souligna Mr. Rafiel, avec sa franchise habituelle. Je n'ai jamais beaucoup apprécié les vieilles chattes. En général, elles ne font rien d'autre que bavarder et tricoter. Mais celle-ci est différente. Elle a des oreilles et des yeux et elle sait s'en servir.

Esther Walters eut un geste d'excuse pour l'intéressée, espérant atténuer la brutale déclaration de Mr. Rafiel.

— C'est une sorte de compliment, vous savez, Miss Marple.

— Je m'en rends compte. Je constate aussi que Mr. Rafiel se prend pour un privilégié qui se croit autorisé à être insolent.

— Ai-je été insolent? Je serais désolé de vous avoir offensée.

— N'en parlons plus.

— Esther, approchez un autre siège. Peut-être pourriez-vous nous aider?

La secrétaire obéit et Mr. Rafiel commença :

— Nous allons continuer notre conciliabule. Nous sommes partis du major Palgrave, son décès et ses éter-nelles histoires.

— J'ai bien peur d'avoir toujours essayé de m'écarter de son chemin.

— Miss Marple était plus patiente que vous. Dites-moi, Esther, Palgrave vous a-t-il jamais infligé un récit ayant trait à un criminel?

— Plusieurs fois.

— Racontez-nous ce dont vous vous souvenez.

— Eh bien! il me semble que le major a été mis sur la voie des confidences par un article de journal. Il tint à nous apprendre qu'il avait une expérience que peu de gens possédaient, car il lui était arrivé de se trouver en face d'un meurtrier.

— Il l'a affirmé?

— Je crois... oui. Ou alors il a dit quelque chose comme : « Je puis vous montrer du doigt un meurtrier. »

— Vous ne vous souvenez pas de sa remarque exacte?

— Il me semble aussi qu'il m'a proposé de me montrer la photographie de quelqu'un. Puis il a beaucoup parlé de Lucrèce Borgia.

— Ne vous occupez pas de Lucrèce Borgia! Nous en savons assez long sur son compte!

— Il a fait encore allusion à des empoisonneurs, à la beauté de Lucrèce qui avait des cheveux roux, paraît-il. Il prétendait que le monde comptait plus de femmes empoisonneuses qu'on ne pourrait le soupçonner.

— C'est très probable, convint Miss Marple.

— Et il a déclaré que le poison se confirmait une arme de femmes par excellence.

— Et à propos de cette photo qu'il devait vous montrer?

— Une photo? Je ne me souviens pas... Il souligna, toutefois, qu'elle était très belle et qu'à la voir on ne l'aurait jamais prise pour une criminelle.

— Elle? Qui ça, elle?

— Nous y voilà! Nous sommes en pleine confusion! s'exclama Miss Marple.

— Il parlait d'une femme?

— Bien sûr!

— Impossible!

— Pas du tout! Il a même précisé qu'elle se trouvait dans

cette île, et qu'il me la montrerait du doigt pour me raconter ensuite toute l'histoire.

Mr. Rafiel jura. Pour exprimer ce qu'il pensait du major Palgrave il ne mâcha pas ses mots.

— Il est probable, conclut-il, que rien de tout cela n'est vrai! Le vieux fou commençait par vous raconter des aventures de chasse à peu près plausibles, puis il enchaînait sur des histoires criminelles, les relatant comme s'il en était le principal témoin. Je suis persuadé que neuf fois sur dix, il s'agissait d'un mélange de ce qu'il avait lu dans le journal ou vu à la télévision.

Irrité, il se tourna vers sa secrétaire.

— Vous admettez n'avoir pas prêté grande attention à ses bavardages?

— Oui, mais je suis persuadé cependant qu'il était question d'une femme, parce que naturellement, je me demandais de qui il pouvait s'agir.

— Et qui croyez-vous que ce soit? s'enquit Miss Marple.

Esther rougit, et, embarrassée :

— Oh! je n'ai pas... c'est-à-dire que je ne voudrais pas...

La présence de Mr. Rafiel empêchait la vieille demoiselle de poser les questions auxquelles Esther Walters aurait sans doute répondu si elles avaient été seules, car entre femmes on se sent plus libre pour émettre des opinions personnelles. Il se pouvait d'autre part, qu'Esther mentît. Mais dans quel but?

— Pourtant, vous m'avez bien dit, reprenait Mr. Rafiel, tourné vers Jane Marple, qu'il a parlé devant vous d'un criminel dont il se préparait à vous montrer la photo?

— Oui, je le pensais.

— Et vous ne le pensez plus?

— Tout ce que je puis affirmer, c'est que le major avait fait allusion à un meurtrier. Avait-il l'intention de me montrer la photo de l'homme en question? Ou, possédant aussi le cliché d'un autre coupable, voulait-il enchaîner sur un cas similaire ? Je ne saurais vous le dire...

— Les femmes ! Toutes les mêmes ! Il vous est impossible d'être précises. Vous êtes incapables de vous en tenir à la réalité ! Et maintenant à quoi cela nous mène-t-il ? Il ne nous reste plus qu'Evelyn Hillingdon ou Lucky ! Toute cette histoire est complètement imbécile !

Une petite toux sèche rompit le silence qui suivit. Jackson, silencieux comme toujours, était là sans que les acteurs de cette discussion l'aient entendu venir.

— L'heure de votre massage, monsieur.

Mr. Rafiel manifesta sur-le-champ sa mauvaise humeur.

— Qu'est-ce qu'il vous prend de vous glisser près de moi de cette façon et de me faire sursauter ?

— Je suis désolé, monsieur.

— Je ne crois pas avoir besoin d'un massage aujourd'hui. Ça ne m'apporte d'ailleurs aucun soulagement.

— Oh ! monsieur, je crains que vous ne vous en ressentiez bientôt si vous le supprimiez.

Sur ce, il tourna la chaise roulante et la poussa devant lui. Miss Marple se leva, sourit à Esther et s'éloigna le long de la plage.

CHAPITRE XVIII

Ce matin-là, la plage apparaissait moins encombrée qu'à l'ordinaire. Greg, suivant son habitude envoyait des gerbes d'eau autour de lui. Lucky, allongée sur le sable, prenait un bain de soleil, ses longs cheveux blonds répandus sur ses épaules. Miss Marple remarqua l'absence des Hillingdon. Une cour d'admirateurs entourait la señora de Caspearo qui s'entretenait avec eux en un espagnol bruyant. Quelques enfants italiens et français jouaient au bord de l'eau, poussant parfois de stridents éclats de rire. Le chanoine et Miss Prescott étaient installés sur des chaises longues. Le clergyman, le chapeau penché sur le front, semblait somnoler. Miss Marple s'assit sur une chaise vacante près de celle de Miss Prescott, en soupirant :

— Ah! mon Dieu!

— Hélas! répliqua sa voisine.

C'était là leur commune contribution au malheur, à l'injustice d'une mort violente.

— Cette pauvre Victoria... chuchota Miss Marple.

— C'est bien triste, convint le chanoine, subitement réveillé, vraiment lamentable...

— Un moment, nous avons pensé partir, Jeremy et moi, mais nous y avons renoncé pour ne pas peiner les Kendal. Après tout ce n'est pas leur faute. Ce drame aurait pu se passer n'importe où.

— Au millieu de la vie, nous sommes déjà dans la mort, prononça solennellement le chanoine.

Miss Marple susurra :

— Molly est une très gentille fille. Elle ne me paraît pas en très bonne santé ces jours-ci...

— C'est une hypernerveuse. Rien d'étonnant, quand on connaît sa famille...

Le chanoine protesta mollement :

— A mon avis, Joan, il y a certaines choses...

— Mais tout le monde est au courant! Les parents de Molly habitent non loin de chez nous. Une grand-tante... plus que bizarre... et figurez-vous, ma chère, qu'un de ses oncles se déshabilla en public, dans une station de métro! A Green Park, il me semble.

Le chanoine éleva la voix :

— Joan, ce sont là des choses qui ne devraient pas être répétées.

Miss Marple commenta :

— Quelle tristesse!... Toutefois, un comportement aussi insolite n'est pas forcément une preuve de folie. Je me souviens — lorsque je travaillais pour le Secours aux Arméniens — d'un très respectable membre du clergé qui se conduisit de la même façon mais à Piccadilly Circus ou à Knightsbridge. On a téléphoné à sa femme qui l'emmena en taxi, enveloppé dans une couverture.

— Je dois préciser que les proches parents de Molly Kendal paraissent tout à fait normaux. Molly ne semblait pas s'entendre avec sa mère, mais aujourd'hui c'est souvent le cas. Elle fréquentait alors, un garçon pas bien du tout. Sa famille désapprouva son choix. Elle avait été mise au courant, non par la jeune fille, mais par un étranger. Naturellement, sa mère demanda à Molly de présenter son soupirant pour se faire une opinion à son sujet, mais elle refusa, prétextant que ce serait humiliant pour le garçon

131

d'être conduit à la famille et examiné comme un cheval à vendre.

— Il est bien difficile de vivre avec les jeunes...

— Toujours est-il que ses parents interdirent à Molly de revoir son amoureux.

— Des méthodes dépassées, ma chère! De nos jours, les jeunes filles travaillent et choisissent leurs relations, qu'on le leur interdise ou pas.

— Mais c'est alors qu'un hasard heureux mit Tim Kendal en présence de la révoltée qui oublia vite l'autre garçon. Je ne puis vous dire à quel point la famille en fut soulagée!

Ces racontars reportèrent Miss Marple bien loin en arrière. Elle se souvint de ce jeune homme rencontré à une partie de croquet. Il semblait si gentil, si gai — presque bohème. D'une façon tout à fait inattendue, il plut beaucoup à son père. La maison lui fut ouverte et c'est alors que Miss Marple découvrit qu'il était somme toute fort ennuyeux.

Le chanoine paraissait de nouveau endormi, la vieille demoiselle se risqua sur le terrain qu'elle avait hâte de retrouver :

— Vous savez tellement de choses à propos de St. Honoré... Vous y venez depuis plusieurs années, n'est-ce pas ?

— Depuis trois ans. Nous aimons beaucoup St. Honoré. Les gens y sont charmants et n'appartiennent pas aux riches « m'as-tu-vu ».

— Vous devez alors bien connaître les Hillingdon et les Dyson ?

— Assez bien, ma foi.

— Le major Palgrave m'a raconté une histoire particulièrement intéressante...

— Il en possédait tout un répertoire! Il a évidemment beaucoup voyagé : l'Afrique, l'Inde, et même la Chine, je crois.

— Je ne voulais pas parler de ce genre d'anecdote. Ce récit était en relation directe avec une des personnes que je viens de citer.

— Vraiment ?

— Maintenant, je me demande...

Lentement, elle parcourut la plage des yeux, pour arrêter son regard sur Lucky, toujours allongée sur le sable.

— Elle a obtenu un très joli bronzage, n'est-ce pas ? Et ses cheveux ! Ils sont si beaux ! Presque de la même couleur que ceux de Mrs. Kendal.

— Oui, mais ceux de Molly ont leur couleur naturelle, tandis que ceux de Lucky doivent leur éclat à la teinture !

— Vraiment ! Joan ! protesta le chanoine se réveillant inopinément, c'est là un détail peu charitable à révéler. Et à mon avis, les cheveux de Mrs. Dyson sont très jolis !

— Je vous assure, mon cher Jeremy, qu'aucune femme ne s'y tromperait !

Plutôt que de discuter sur un sujet où il manquait d'expérience, le chanoine préféra se rendormir. Aussitôt, Miss Marple en profita :

— Le major Palgrave m'a exposé une histoire incroyable au sujet des Dyson. J'avoue que je n'ai pas très bien compris.

— Je sais ce dont il vous a parlé. Cela a fait beaucoup jaser à l'époque, lorsque la première Mrs. Dyson est morte d'une façon subite. En fait, tout le monde la prenait pour une « malade imaginaire » — une hypocondriaque. Naturellement quand elle eut cette attaque et mourut d'une manière aussi rapide, les langues allèrent bon train.

— Qu'en a dit le médecin ?

— Il a été surpris, paraît-il, mais c'était un débutant, sans expérience. Le mari a assuré que sa femme souffrait de troubles gastriques. On a accepté ce décès. Il le fallait bien...

— Mais vous-même?...

— Vous me connaissez, je m'efforce toujours d'être sans parti pris, mais enfin, en face de certains événements, les gens discutent...

— Joan! (Le chanoine se dressa belliqueux.) Je n'aime pas, mais là, pas du tout, cette sorte de ragots haineux! Ne vois pas le mal, n'écoute pas le mal, ne parle pas du mal, et surtout : ne pense pas au mal! Voilà quelle devrait être la devise de tout chrétien.

Les deux femmes restèrent silencieuses. Bien que réprimandées — fidèles à leur éducation — elles se retinrent de répondre. Mais elles se sentaient frustrées, irritées, et somme toute, assez peu repentantes. Miss Prescott jeta un coup d'œil exaspéré à son frère. Miss Marple sortit son tricot qu'elle contempla. Heureusement la Chance s'avérait de leur côté.

— Mon Père? prononça une petite voix pointue.

Une fillette française se tenait près de la chaise du chanoine.

— Mon Père? murmura-t-elle d'une voix émue.

— Eh? Oui? qu'est-ce qu'il y a, ma petite [1]?

Une dispute venait d'éclater entre les jeunes baigneurs et le chanoine — qui aimait beaucoup les enfants — se montrait toujours ravi d'être choisi pour arbitrer leurs querelles. Il se leva allègrement et suivit son guide au bord de l'eau.

Miss Marple et Miss Prescott poussèrent un soupir et se tournèrent avidement l'une vers l'autre. Sans perdre une seconde, Miss Prescott entama :

— Jeremy — avec juste raison — réprouve les rumeurs désobligeantes, mais on ne peut vraiment ignorer ce que l'on raconte. Et il y eut beaucoup de bavardages à l'époque.

— Vraiment?

[1] En français dans le texte.

— Cette personne — qui s'appelait Miss Greatorex, en ce temps-là — s'occupait de Mrs. Dyson, sa cousine, et lui servait d'infirmière, pour ainsi dire. Les gens remarquèrent assez vite qu'une sympathie peut-être excessive, rapprochait Mr. Syson et Miss Greatorex. Le genre de choses que l'on détecte rapidement. Puis, il y eut de curieux bruits à propos d'un médicament qu'Edward Hillingdon se serait procuré, pour elle, chez le pharmacien.

— Que venait faire Edward Hillingdon là-dedans?

— Il se montrait très empressé lui aussi auprès de Miss Greatorex. Et Lucky — Miss Greatorex — opposait Gregory Dyson à Edward Hillingdon. Il faut bien admettre qu'elle a toujours été une femme attirante.

— Elle n'est plus aussi jeune aujourd'hui.

— Exactement. Mais elle est encore très bien. Elle semblait très dévouée à sa cousine. Vous imaginez la situation.

— Que disiez-vous à propos de cette histoire de pharmacie?

— Il me semble me rappeler qu'ils se trouvaient alors à la Martinique. Les Français sont plus souples que nous en matière de médicaments. Ce pharmacien en parla à son entourage et la nouvelle se répandit. Vous savez comment cela se passe...

— Mais je ne vois pas comment le colonel Hillingdon...

— J'imagine qu'il a tiré les marrons du feu. Enfin, Gregory Dyson se remaria au bout d'un temps indécemment court. A peine un mois plus tard, d'après les dires.

Elles se regardèrent.

— Mais officiellement, on ne soupçonna rien?

— Seulement des murmures. Après tout il n'y a peut-être rien eu d'anormal dans ce décès.

— Le major pensait différemment.

— Vous l'a-t-il confié?

— Je le crois, mais je n'en jurerais pas, car je ne l'écoutais pas vraiment. Je me demandais seulement s'il vous en aurait parlé à vous aussi?

— Il m'a montré du doigt Lucky, un jour.

— Non?

— Si! D'abord j'ai dû me persuader qu'il s'agissait bien de Mrs. Hillingdon. Il lança : « Regardez donc cette femme là-bas? A mon avis, elle a commis un crime et s'en est sortie. » Sur le moment, j'en fus choquée et répliquai sèchement : « Vous plaisantez, j'imagine, major Palgrave? », et il me répondit : « Oui, chère demoiselle, il est préférable d'appeler cela une plaisanterie. » Les Dyson et les Hillingdon se trouvaient assis non loin de notre table et j'espérai qu'ils ne l'avaient pas entendu. Mais le major insista : « Je n'aimerais pas aller à un cocktail-party et être servi par une certaine personne. Cela ressemblerait trop à un souper chez les Borgia. »

— Très intéressant. Fit-il également allusion à une photographie?

— Je ne m'en souviens pas. Vous voulez dire un article de journal découpé?

Miss Marple qui allait répondre se retint. Une ombre se profila sur le sable, et Evelyn Hillingdon s'arrêta un instant près des deux bavardes.

— Bonjour.

— Je me demandais où vous étiez, répondit Miss Prescott.

— Je reviens de Jamestown, où j'ai fait des courses. Je n'ai pas emmené Edward avec moi, car les hommes détestent suivre les femmes dans les magasins.

— Avez-vous trouvé quelque chose d'intéressant?

— Je n'ai pas tellement cherché, je devais seulement aller chez le pharmacien.

Elle sourit puis continua son chemin.

Miss Prescott remarqua :

— Une charmante femme cette Evelyn Hillingdon, bien

qu'il ne soit pas facile de la comprendre. On ne sait jamais ce qu'elle pense. Avec son mari, ils habitent un coin agréable dans le Hamsphire.

— Connaissez-vous la région?

— Mal... Je crois que leur maison est située non loin de Alton.

— Où vivent les Dyson?

— En Californie. Mais ils voyagent beaucoup et sont très rarement chez eux.

— On apprend si peu sur les gens que l'on rencontre en voyage. On ne sait que ce qu'ils nous révèlent eux-mêmes. Par exemple, vous n'êtes pas absolument certaine que les Dyson habitent la Californie.

— Je suis sûre que Mr. Dyson me l'a appris.

— Exactement ce que je voulais souligner. Il en est de même pour les Hillingdon. En déclarant qu'ils vivent dans le Hampshire, vous ne faites que répéter ce qu'ils vous ont dit, n'est-il pas vrai?

— Voulez-vous insinuer qu'ils n'y vivent pas?

— Non pas! Simplement, je tenais à vous démontrer que l'on ignore tout des autres. Moi-même, je vous ai affirmé que je demeurais à St. Mary Mead, qui est un endroit dont sans aucun doute, vous n'avez jamais entendu parler. Mais vous ne le savez pas réellement, vous n'en avez pas une preuve formelle...

Miss Prescott se retint de remarquer qu'elle se moquait pas mal de connaître l'endroit où Miss Marple vivait. A la campagne, quelque part au sud de l'Angleterre, et c'est tout ce qu'elle avait retenu.

— Je suis très bien votre raisonnement. On n'est jamais assez méfiant lorsqu'on se trouve à l'étranger.

— Pas tout à fait...

Une idée extravagante traversait l'esprit de Jane Marple. Comment s'assurer que le chanoine et Miss Prescott étaient bien le chanoine Prescott et Miss Prescott? Ils l'affirmaient

et il n'existait aucun témoignage pour les contredire.
D'autre part, il s'avérait assez facile de porter les vêtements
appropriés et d'user du langage adéquat. S'il y avait un but
à ce déguisement ?... Elle connaissait un peu le clergé de
sa région, mais les Prescott venaient de Durham, dans
le Nord.

CHAPITRE XIX

Le chanoine légèrement essoufflé rejoignit les deux demoiselles. Jouer avec les enfants est toujours fatigant. Sa sœur et lui, trouvant qu'il commençait à faire trop chaud, regagnèrent bientôt l'hôtel.

La señora de Caspearo remarqua avec mépris, en les regardant s'éloigner :

— Comment une plage peut-elle être trop chaude ? C'est idiot ! Voyez un peu ce qu'elle porte ! Elle cache ses bras et son cou. Il vaut peut-être mieux, d'ailleurs. Sa peau est affreuse, comme celle d'un poulet déplumé.

Miss Marple prit une longue aspiration. C'était le moment ou jamais d'avoir une conversation avec la belle Vénézuélienne. Malheureusement, elle ne voyait pas par où commencer. Il ne se présentait à son esprit aucun sujet sur lequel elles puissent toutes deux manifester un intérêt commun.

— Vous avez des enfant, señora ?

— Trois !... Trois anges !

Miss Marple ne comprit pas si cette réponse signifiait qu'ils se trouvaient au Ciel ou si elle se rapportait à leur caractère.

Un des hommes entourant la jeune femme, émit une remarque en espagnol qui la fit beaucoup rire. Elle demanda à Miss Marple :

— Vous avez compris ?

— Je crains que non.

— Il vaut mieux. C'est très vilain.

La conversation reprit en castillan, mais soudain la señorita revint à l'anglais pour remarquer d'un ton indigné :

— C'est abominable que la police ne nous permette pas de quitter l'île ! J'ai eu beau me mettre en colère, crier, trépigner, tout ce qu'ils m'ont répondu est « Non ». Vous savez comment cela se terminera ? Nous serons tous assassinés !

Son chevalier servant essaya de la rassurer, mais elle reprit :

— Je vous assure que cet endroit porte malheur. Je l'ai tout de suite deviné... Ce vieux major, celui qui était si laid... il avait le Mauvais Œil... vous vous souvenez ? Il louchait... Très mauvais ! Je faisais les cornes chaque fois qu'il regardait dans ma direction. Quoique étant donné qu'il louchait, je ne savais jamais avec certitude s'il regardait ou non de mon côté.

— Il avait un œil de verre, expliqua la vieille amie du major. Un accident de jeunesse. Ce n'était pas de sa faute.

— Je suis certaine qu'il apportait le malheur avec lui ! Enfin... il est mort. Je n'ai plus besoin de le regarder. Je n'aime pas voir les choses laides.

Une bien cruelle épitaphe pour le major Palgrave, estima Miss Marple.

En contrebas de la plage, Gregory Dyson sortait de l'eau. Lucky se retourna sur le sable observée par Evelyn, dont l'expression — sans qu'elle devinât pourquoi — fit frissonner Miss Marple. « Je ne puis pourtant avoir froid avec cette chaleur », pensa-t-elle. De qui donc était la phrase qui chantait dans sa mémoire et qui se terminait par : « ... à vous donner la chair de poule » ?

Se levant, elle se dirigea vers son bungalow. Sur son chemin, elle croisa Mr. Rafield et Esther Walters qui descendaient au bord de l'eau. Mr. Rafiel lui adressa un clignement d'œil. Mais Miss Marple le regarda sévèrement.

Elle alla s'allonger sur son lit, se sentant soudain vieille, fatiguée, et inquiète. Elle se persuadait que le temps pressait... Il commençait à se faire tard... Le soleil se couchait... Le soleil... On devrait toujours le regarder à travers des lunettes noires. Où était le morceau de verre fumé qu'on lui avait donné un jour?...

Non, après tout, elle n'en aurait pas besoin. Une ombre s'était profilée devant le soleil. Une ombre... Celle d'Evelyn Hillingdon. Non, pas Evelyn Hillingdon... L'ombre (quels étaient exactement les mots)... « l'ombre de la Vallée de la Mort ». C'est cela. De quelle façon devait-elle s'y prendre?... Aurait-elle recours au geste puéril de la Vénézuélienne, pour détourner le Mauvais Œil du major Palgrave?

Elle battit des paupières et réalisa qu'elle s'était endormie. Cependant il y avait réellement une ombre au-dehors. A travers sa fenêtre, quelqu'un regardait. L'inconnu s'éloigna, et Miss Marple grommela : « Jackson... Quelle impertinence! » Puis elle s'interrogea sur la signification de cette indiscrétion. Voulait-on s'assurer qu'elle se trouvait chez elle?

Elle se leva, traversa sa salle de bains et regarda avec précaution au-dehors. Arthur Jackson se tenait devant la porte du bungalow voisin. Celui de Mr. Rafiel. Elle le surprit jetant un coup d'œil alentour de l'habitation. Intéressant... Pourquoi éprouvait-il le besoin de regarder autour de lui, comme s'il craignait d'être remarqué? Pourtant il était naturel qu'il entrât chez Mr. Rafiel puisqu'il y occupait une pièce. Alors, à quoi rimait cette attitude étrange? Une seule raison s'imposait, il voulait être certain que nul ne le verrait rentrer juste à ce moment-là. Or, à cette heure, tous les pensionnaires se prélassaient sur la plage ou étaient partis en excursion. D'ici vingt minutes, Jackson devrait se rendre auprès de Mr. Rafiel pour l'aider à prendre son bain quotidien. Le moment s'avérait donc favorable pour une action discrète. Après s'être convaincu que Miss Marple dormait, il voulait se convaincre que nul ne rôdait par là.

La vieille demoiselle décida d'agir en conséquence. S'asseyant sur son lit, elle retira ses sandales et sortit de sa valise une paire de chaussures. Elle avait cassé le talon de l'une dans un trou, et rendit le dommage encore plus apparent à l'aide d'une lime à ongles. Puis, à pas de loup, marchant sur ses bas, elle sortit. Avec des ruses de Sioux, elle contourna le bungalow de Mr. Rafiel, s'arrêta, enfila une chaussure, et se mit à genoux sous une fenêtre. Si Jackson, entendant le moindre bruit, s'approchait pour voir ce qu'il se passait, il trouverait une personna âgée et maladroite venant de tomber à cause de son talon de chaussure cassé. Mais de toute évidence, Jackson n'avait rien entendu.

Lentement, très lentement, Miss Marple leva la tête. Les fenêtres du bungalow étaient très basses, et s'abritant derrière une plante grasse, elle regarda à l'intérieur...

Jackson penché sur une valise remplie de papiers, en bouleversait le contenu, ouvrant de grandes enveloppes desquelles il extirpait des documents. Miss Marple ne s'attarda pas à son poste d'observation. Elle venait de découvrir ce qu'elle voulait savoir : Jackson espionnait son maître. Recherchait-il spécialement quelque chose, ou cédait-il à ses instincts naturels ?

Pour se retirer, Miss Marple s'accroupit et rampa le long de la bordure de plantes vertes, jusqu'à ce qu'elle eût dépassé la fenêtre. Ensuite, elle retourna dans son bungalow.

Ayant remis ses sandales, elle s'en fut sur la plage. Choisissant un moment où Esther Walters se baignait, elle s'approcha de Mr. Rafiel. Greg et Lucky parlaient et riaient avec la señora de Caspearo.

D'une voix égale, la vieille demoiselle murmura, sans regarder son voisin :

— Saviez-vous que Jackson vous espionnait ?

— Cela ne me surprend pas. Vous l'avez pris en flagrant délit ?

— De votre fenêtre, je l'ai vu fouillant le contenu d'une de vos valises.

— Il a dû s'arranger pour s'en procurer la clef. Plein de ressources, ce garçon ! Cependant il sera déçu. Rien de ce qu'il découvrira là ne lui apprendra la moindre chose.

— Attention ! Le voilà !

— C'est l'heure de mon idiote plongée dans l'eau. Quant à vous, ne faites pas trop de zèle. Cela ne me plairait pas de suivre votre enterrement. Souvenez-vous de votre âge et soyez prudente.

CHAPITRE XX

Le soir tomba. Les lumières illuminèrent la terrasse. Les gens dînèrent, parlèrent et rirent, quoique avec moins de conviction que la veille ou le jour précédent. L'orchestre typique jouait. Mais la danse se termina de bonne heure. Les pensionnaires n'étaient pas en train et ils réintégrèrent assez tôt leurs bungalows respectifs. Les lampes s'éteignirent. La nuit et le silence s'installèrent sur le *Golden Palm Hotel* endormi.

— Evelyn?... Evelyn?...

L'appel chuchoté était pressant.

Evelyn Hillingdon s'agita et se retourna sur son oreiller.

— Evelyn! Je vous en prie! Réveillez-vous!

Cette fois, la dormeuse se dressa brusquement et découvrit, avec surprise, la silhouette de Tim Kendal s'encadrant dans l'entrebâillement de la porte.

— Evelyn, s'il vous plaît, pourriez-vous venir? Molly est malade. Je crois qu'elle a avalé quelque chose.

— D'accord, Tim. Retournez auprès d'elle, je vous rejoins dans un instant.

Le jeune homme disparu, elle se leva, enfila sa robe de chambre, et jeta un coup d'œil à son mari qui dormait paisiblement. Après une légère hésitation, elle décida de ne pas le déranger. Elle gagna le building principal, puis le bungalow des Kendal lui faisant suite. Tim l'attendait à la porte.

Molly allongée dans son lit, les yeux clos, respirait avec difficulté. Evelyn s'approcha d'elle, lui souleva une paupière, tâta son pouls et regarda sur la table de chevet. Près d'un verre se trouvait une fiole vide qu'elle examina.

— Son somnifère, expliqua Tim, mais ce flacon était à demi plein hier ou avant-hier. Elle a dû tout avaler cette nuit.

— Allez vite chercher le Dr Graham et, sur votre chemin, réveillez un domestique pour qu'il prépare du café très fort. Dépêchez-vous!

Tim se précipita hors de la pièce. Dans le couloir, il se heurta à Edward Hillingdon.

— Oh! excusez-moi, Edward!

— Que se passe-t-il?

— C'est Molly. Evelyn est avec elle. Je dois ramener un médecin. C'est ce que j'aurais dû faire d'abord, mais... mais je... je n'étais pas sûr et Molly m'en aurait voulu d'alerter un docteur sans raison valable.

Il s'éloigna en courant. Edward Hillingdon le suivit du regard avant de pénétrer à son tour dans la chambre de la malade.

— Est-ce sérieux, Evelyn?

— Ah! vous voilà, Edward. Je n'osais pas vous réveiller. Cette stupide enfant a absorbé trop de somnifère.

— Grave?

— On ne peut rien dire avant de savoir quelle dose elle a prise. Je pense que si on agit à temps, elle s'en tirera. J'ai envoyé chercher du café, si nous parvenons à l'obliger à en boire...

— Mais pourquoi aurait-elle commis une pareille sottise? Vous ne croyez pas que...

— Que quoi?

— ... Que ce soit à cause de l'enquête?... La police?

— Cela peut avoir en effet ébranlé sa nature hyper-nerveuse.

— Tiens! Molly ne m'a jamais paru être une nature si nerveuse que cela?

— Ce sont bien souvent ceux qui n'en paraissent pas capables qui perdent leur sang-froid. La vérité est que personne ne voit vraiment ce qui se passe dans l'esprit d'autrui. Pas même les plus proches...

— N'exagérez-vous pas un peu, Evelyn?

— On se crée une image des autres, ne correspondant que rarement à leur personnalité vraie.

— En tout cas, vous, je vous connais!

— Du moins, vous le figurez-vous!

— Non, j'en suis sûr, comme de votre côté, vous êtes certaine de me connaître.

Elle le regarda sans répondre, puis se tourna vers le lit, saisit Molly par les épaules et la secoua.

— Nous devrions tenter quelque chose, mais je suppose qu'il est préférable d'attendre l'arrivée du Dr Graham.

— Elle sera mieux dans un instant.

Le Dr Graham s'éloigna et s'épongea le front avec un soupir de soulagement.

— Vous jugez qu'elle s'en remettra, docteur? demanda anxieusement Tim.

— Oui, oui. Nous sommes intervenus à temps. De toute façon, la dose n'était, à mon avis, pas assez forte pour la tuer. D'ici quelques jours, elle trottera à nouveau comme un lapin, mais auparavant, elle passera des moments pénibles. J'aimerais bien savoir qui lui a ordonné ce somnifère?

— Un médecin de New York. Elle se plaignait de ne pas dormir.

— Beaucoup de mes confrères manient malheureuse-ment ce genre de drogues à la légère. On ne conseille plus

146

aux jeunes femmes qui ont du mal à trouver le sommeil de compter des moutons ou d'écrire quelques lettres avant de se remettre au lit.

Molly sortit de sa torpeur. Elle ouvrit les yeux et promena sur l'assistance un regard vague. Le médecin s'empara de sa main.

— Eh bien! ma chère enfant, on n'a pas été très raisonnable, hein?

Elle cligna des paupières, mais ne répondit pas. Tim lui prit l'autre main.

— Pourquoi, Molly, pourquoi?

Elle fixa Evelyn Hillingdon comme pour l'interroger, et cette dernière expliqua:

— Tim est venu me chercher.

Lentement, la malade tourna la tête vers Tim, puis vers le Dr Graham qui affirma:

— Tout ira bien maintenant, mais il ne faudra pas recommencer.

Tim protesta:

— Elle ne l'a pas fait exprès. J'en suis persuadé. Elle a pris trop de pilules parce qu'elles n'agissaient pas assez vite à son gré. N'est-ce pas, Molly?

La jeune femme secoua faiblement la tête dans un geste de négation.

— Vous voulez dire que vous les avez prises exprès?

— Oui.

— Mais, pour quelles raisons?

— Peur...

— Peur? Peur de quoi? De qui?

Mais elle ferma les yeux.

Graham intervint.

— Il vaut mieux ne pas insister pour l'instant.

Tim ne tint aucun compte de l'interruption.

— Peur de la police? Parce qu'ils vous ont excédée avec

leurs questions? Cela ne m'étonne pas! Ils affolent tout le monde. C'est leur habitude!

Le praticien lui adressa un signe impératif.

— Je veux dormir, prononça clairement Molly.

— Dormez. Cela vous fera du bien.

Il s'éloigna vers la porte et les autres le suivirent.

Evelyn proposa :

— Je vais rester, si vous le désirez?

— Oh! Non, ce n'est pas la peine.

— Souhaitez-vous que je demeure près de vous, Molly?

Evelyn s'adressa à la malade.

Cette dernière ouvrit les yeux.

— Non... Seulement Tim.

Tim vint s'asseoir au bord du lit.

— Je suis là, Molly. Vous pouvez dormir tranquille. Je ne vous quitterai pas.

Elle hocha lentement la tête et referma les paupières.

Le docteur, suivi des Hillingdon, s'arrêta à l'extérieur du bungalow. Evelyn insista.

— Vous êtes sûr que je ne puis être utile, docteur?

— Je ne pense pas, merci Mrs. Hillingdon. Il faut mieux que ce soit son mari qui reste à ses côtés. Mais demain, peut-être... Après tout, Tim doit s'occuper de l'hôtel. Il faudra le relayer.

— A votre avis, est-elle susceptible de recommencer? questionna Hillingdon.

— Comment répondre? Mais, c'est peu probable. Vous l'avez vue? Le traitement de choc est extrêmement désagréable. Cependant on ne saurait être absolument certain. Elle peut avoir caché un autre flacon de somnifère.

— Je n'aurais jamais pensé à associer le mot suicide avec une fille comme Molly!

— Ce sont rarement les gens menaçant de se tuer qui se suicident.

Evelyn hésita, puis :

148

— Peut-être... devrais-je vous confier quelque chose, docteur.

Elle raconta alors sa rencontre sur la plage avec Molly, le soir où Victoria fut poignardée.

— Je suis content que vous m'appreniez cela, Mrs. Hillingdon. Mrs. Kendal m'a l'air d'être profondément tourmentée. J'en discuterai avec son mari dès demain matin.

Dans le bureau de Kendal, le Dr Graham annonça :

— Il faut que je vous parle sérieusement au sujet de votre femme, Kendal.

Evelyn Hillingdon se trouvait à présent au chevet de Molly, et Lucky lui avait promis de la remplacer dans l'après-midi. Miss Marple, aussi, avait offert ses services, le pauvre Tim étant partagé entre ses responsabilités d'hôtelier et l'état de santé de sa femme.

— Je n'arrive plus à comprendre Molly, docteur. Elle a changé, en dépit des apparences.

— A-t-elle des cauchemars ?

— Oui.

— Depuis longtemps ?

— Depuis environ un mois. Elle... Enfin, nous estimions qu'il ne s'agissait que de phantasmes.

— Bien sûr, mais ce qui me paraît plus grave, c'est qu'elle semble être effrayée par quelqu'un.

— Une fois ou deux, en effet, elle m'a assuré qu'elle se sentait suivie.

— Ah! Comme si on l'espionnait ?

— Elle a employé ce terme une fois, prétendant même avoir des ennemis qui la poursuivaient jusqu'ici.

— Est-ce vrai ?

— Mais non!

— A votre connaissance, il n'y a pas eu dans sa vie quelque événement important qui se serait passé avant votre mariage, en Angleterre ?

— Je sais simplement qu'elle ne s'entendait pas avec sa famille. Sa mère est une femme un peu excentrique, difficile à vivre, peut-être, mais...

— Aucun signe d'instabilité mentale chez ses parents ?

Tim allait répondre sèchement, mais il se contint. Il joua avec un crayon placé devant lui.

Le docteur reprit :

— Excusez-moi d'insister, Mr. Kendal, mais si c'est le cas, il vaudrait mieux que vous m'en fassiez part.

— Eh bien ! oui, docteur ! Il y a eu une tante pas très équilibrée. Mais ce n'est rien. Je veux dire que l'on trouve des cas semblables dans presque toutes les familles.

— Exact. Cependant, sans vouloir vous alarmer, cela pourrait expliquer chez votre femme ses moments de dépression, voire ses obsessions lorsqu'un choc nerveux se produit. Elle n'aurait pas été fiancée à un garçon qui aurait pu la menacer sous l'effet de la jalousie ?

— Lorsque j'ai connu Molly elle avait bien été fiancée en effet, et ses parents n'avaient pas apprécié son choix. Il s'agissait d'un garçon d'assez mauvaise réputation, paraît-il. Je suis sûr qu'il n'a jamais essayé de revoir Molly. Elle me l'aurait confié.

— Votre femme a parfois ce qu'elle décrit comme étant des trous noirs, pendant lesquels elle ne peut contrôler ses actes. Êtes-vous au courant ?

— Non, elle ne m'en a jamais parlé, mais maintenant que vous me le signalez, j'ai été souvent intrigué par son manque de précision. Je ne comprenais pas pourquoi il lui arrivait d'oublier les choses les plus simples, par exemple l'heure qu'il pouvait être. Je mettais cela sur le compte de la distraction.

— Mr. Kendal, vous devez absolument conduire votre femme chez un spécialiste.

— Un spécialiste pour maladies mentales ?

— Ne vous laissez pas impressionner par les étiquettes.

150

Je parle d'un neurologue, d'un psychologue, de quelqu'un, enfin, qui soigne ce que l'homme de la rue appelle une dépression. J'en connais un très bon à Kingston. Il y a aussi New York, bien sûr. Quelque chose provoque ces terreurs chez votre femme. Elle-même en ignore probablement la cause. Renseignez-vous à ce sujet, Mr. Kendal. Le plus tôt possible.

Graham tapota amicalement l'épaule du jeune homme et se leva.

— Il est encore trop tôt pour que vous vous fassiez sérieusement du souci. Mrs. Kendal a des amis et nous veillerons tous sur elle.

— Docteur... Vous ne craignez pas qu'elle recommence ?

— Cela me surprendrait, mais on ne peut jurer de rien. Essayez de ne pas y penser !

Le médecin sorti, Tim grommela :

— Ne pas y penser ! De quoi croit-il donc que je suis fait ?

CHAPITRE XXI

— Vous êtes sûre que cela ne vous dérange pas, Miss Marple ? demanda Evelyn Hillingdon.

— Pas le moins du monde, ma chère. Je suis trop heureuse d'être utile à quelque chose en restant près de Molly pendant que vous ferez l'excursion projetée. Au Pelican Point, je crois ?

— Oui. Edward et moi aimons beaucoup cet endroit. Nous ne nous lassons pas d'observer les oiseaux qui plongent dans la mer pour attraper les poissons. Tim est avec Molly en ce moment. Mais il a du travail et ne voudrait pas qu'elle reste seule.

— Il a raison. Eh bien ! sauvez-vous !

Evelyn rejoignit le petit groupe qui l'attendait , et Miss Marple, après avoir vérifié ce dont elle avait besoin pour son tricot, gagna le bungalow des Kendal.

De la porte-fenêtre entrouverte, elle entendit Tim demander :

— Si vous me disiez seulement pourquoi vous avez agi de la sorte, Molly. Qu'est-ce qu'il vous a pris ? Il doit bien y avoir une raison ?

Miss Marple s'immobilisa au pied du perron.

La voix de Molly s'éleva, morne, lointaine.

— Je ne sais pas, Tim. Je ne sais pas. Je suppose que quelque chose m'a dominé.

152

La vieille demoiselle s'approcha de la porte-fenêtre et frappa doucement.

— Ah! Miss Marple. C'est très aimable à vous de venir.

— Pas du tout. Je suis ravie de vous rendre service. Vous avez meilleure mine, Molly.

— Je vais très bien. Seulement, je ne parviens pas à me réveiller complètement.

— Je ne parlerai pas. Reposez-vous. Voyez : j'ai apporté mon tricot.

Tim Kendal lui adressa un regard plein de gratitude avant de s'en aller. La vieille demoiselle s'installa près du lit.

Molly, qui semblait épuisée, murmura :

— Vous êtes bien bonne, Miss Marple. Je... je crois que je m'endors.

Elle ferma les yeux. Sa respiration se fit plus régulière, et machinalement, sa garde-malade borda le drap et les couvertures. Dans son geste, ses doigts rencontrèrent quelque chose de dur sous le matelas, qu'elle tira. Un livre! Après un coup d'œil à la jeune femme endormie, Miss Marple constata qu'il s'agissait d'un ouvrage courant traitant des fatigues mentales. Les pages s'ouvrirent d'elles-mêmes à un passage qui donnait une description générale de la maladie de la persécution et autres maux de cette nature. Le livre, pas trop technique, pouvait être compris de tout le monde. L'expression de la vieille demoiselle devint plus sévère au fur et à mesure qu'elle poursuivait sa lecture. Après une minute ou deux elle referma le bouquin et réfléchit. Puis elle replaça sa trouvaille où elle l'avait prise. Perplexe, elle se leva sans bruit et s'approcha d'une fenêtre. Tournant la tête, elle surprit le regard de Molly. Les yeux de la malade se refermèrent aussitôt. Miss Marple se demanda si elle venait d'imaginer ce coup d'œil pénétrant ou si Molly feignait de dormir. Après tout, c'était là une réaction assez normale. Elle pensait peut-être que son infirmière improvisée lui aurait parlé si elle l'avait vue éveillée. Cependant, Miss Marple avait cru discerner dans le regard de Molly une sorte d'ironie assez désagréable, mais elle n'en était pas certaine... Elle décida de s'entretenir avec le Dr Graham le plus tôt possible, et retourna s'asseoir. Cinq minutes plus tard, pensant que Molly dormait vraiment, cette fois, elle se releva. Elle portait ses chaussures à semelle de crêpe, ce qui lui permettait de se déplacer sans le moindre bruit. Elle se promena autour de la chambre, allant d'une fenêtre à l'autre. Dehors, tout paraissait calme. Un moment hésitante, elle regagnait son poste de veille, lorsqu'il lui sembla entendre un léger bruit venant de l'extérieur. Un glissement de chaussures près du perron ? Elle hésita, puis s'approcha de la porte-fenêtre qu'elle poussa. Au moment de sortir, elle se tourna vers le lit et chuchota :

— Je ne serai pas absente longtemps. Il faut que j'aille jusqu'à mon bungalow. Vous n'aurez besoin de rien en attendant mon retour ?

« Elle dort, la pauvre enfant. C'est une bonne chose. » Miss Marple descendit tranquillement les marches et s'engagea sur le chemin qui s'éloignait du bungalow.

Un promeneur marchant le long de l'allée bordée d'hibiscus aurait été surpris de voir la vieille demoiselle changer brusquement de direction, traverser le parterre de fleurs, contourner le bungalow qu'elle venait de quitter et y pénétrer par la porte de derrière. Celle-ci ouvrait directement sur une petite chambre que Tim utilisait parfois comme bureau. La pièce voisine était le salon. De larges rideaux à demi-fermés conservaient une certaine fraîcheur à l'atmosphère. Miss Marple se glissa derrière l'un d'eux et attendit. De son poste, elle pouvait observer quiconque s'approcherait de la chambre de Molly. Au bout de quelques minutes, Jackson, vêtu de sa tenue blanche, grimpa les marches du perron.

Le masseur hésita un instant, puis frappa doucement à la porte vitrée. N'obtenant pas de réponse, il entra après avoir jeté derrière lui un coup d'œil furtif.

Miss Marple abandonnant sa cachette, s'approcha de la porte et appliqua son œil à la charnière. Jackson, dans la chambre, se penchait sur le lit et regardait la jeune femme endormie. Rassuré, il se dirigea vers la salle de bains. Surprise, la vieille demoiselle leva les sourcils. Après une seconde de réflexion, elle traversa le petit couloir adjacent et pénétra à son tour dans la salle de bains.

Jackson, debout devant la tablette du lavabo, sursauta et parut déconcerté par la présence de Miss Marple.

— Oh!... Je... Je... ne...

— Mr. Jackson ?

— Je pensais bien que vous n'étiez pas loin.

— Vous vouliez quelque chose ?

— Je ne faisais qu'examiner l'assortiment des crèmes de Mrs. Kendal.

La vieille demoiselle apprécia fort l'opportunité de la réponse, car Jackson, un pot de crème à la main, ne pouvait rien dire d'autre.

— Ça sent bon, ajouta-t-il en plissant le nez. Un excellent produit par rapport aux préparations actuelles. Les marques courantes ne conviennent pas à toutes les peaux. Elles peuvent provoquer une éruption de boutons. Il en est de même avec les poudres, quelquefois.

— Vous semblez très bien connaître le sujet ?

— J'ai un peu travaillé dans une pharmacie. On y apprend beaucoup sur les produits de beauté, dans ce métier. Mettez n'importe quoi dans un pot de crème, que vous enfermez dans une boîte élégante... Ah! C'est étonnant à quel point on peut escroquer les femmes !

— C'est là ce dont vous vouliez vous rendre compte ?

— Ma foi, non.

« Vous n'avez pas eu le temps d'inventer un mensonge,

pensait Miss Marple. Voyons comment vous allez vous en sortir ? »

— Mrs. Walters a prêté son rouge à lèvres à Molly, l'autre jour. Je suis venu le réclamer. J'ai frappé avant d'entrer, mais en voyant Mrs. Kendal endormie, j'ai pensé que je ne ferais rien de mal en allant directement dans la salle de bains chercher le rouge à lèvres.

— L'avez-vous trouvé ?

— Non. Il doit être dans un des sacs de Mrs. Kendal. Aucune importance.

Il reprit son examen de la tablette.

— Elle n'a pas grand-chose, n'est-ce pas ? Il est vrai qu'à son âge elle n'en a pas besoin. Rien ne vaut le maquillage naturel.

— Vous devez observer les femmes d'un œil qui n'est pas celui des autres hommes ?

— Je suppose que certains métiers donnent une certaine déformation.

— Vous vous intéressez aux médicaments ?

— Oh ! Oui ! J'ai beaucoup travaillé dessus. Si vous me demandez mon avis, il y en a bien trop en circulation actuellement. Calmants, pilules pour l'estomac, drogues miracles, et tout le reste. Je suis d'accord si elles sont prescrites, mais malheureusement, il y en a pas mal que vous pouvez obtenir sans ordonnance, et certaines d'entre elles sont dangereuses.

— Je vous crois aisément.

Un léger bruit parvint de la pièce voisine. Miss Marple tourna vivement la tête et regagna la chambre. Lucky Dyson se tenait juste devant la porte-fenêtre.

— Je... Oh ! Je ne pensais pas que vous étiez là, Miss Marple. Je suis venue voir si vous ne souhaitiez pas que je reste avec Molly un moment. Elle dort, n'est-ce pas ?

— Je le crois. Mais ne vous inquiétez pas. Allez vous distraire, ma chère. Je vous croyais partie en excursion ?

— Je le devais, mais une terrible migraine, au dernier moment, m'a forcée à renoncer. Je désirais au moins me rendre utile.

— C'est très gentil à vous.

La vieille demoiselle retourna s'asseoir et reprit son tricot avant d'ajouter :

— ... Mais je suis très bien ici.

Lucky hésita, puis finalement se retira. Miss Marple attendit un peu pour retourner dans la salle de bains. Jackson avait disparu, probablement par la porte du fond. Elle examina le pot de crème manipulé par le masseur et le glissa dans sa poche.

CHAPITRE XXII

Aborder le Dr Graham sans donner trop d'importance aux questions qu'elle voulait lui poser, s'avérait difficile pour Miss Marple. Kendal venait de la relayer après qu'elle lui eut promis de revenir auprès de Molly pendant le dîner, bien que Tim eût annoncé que Mrs. Dyson s'offrait à garder la malade et aussi Mrs. Hillingdon. La vieille demoiselle avait répliqué avec fermeté que toutes deux étaient des jeunes femmes aimant se distraire, tandis qu'elle n'avait rien d'autre à faire. Elle prendrait donc une légère collation de bonne heure, et reviendrait à son poste afin de ne déranger personne. Tim s'était incliné et l'avait remerciée chaleureusement.

Allant et venant d'un pas incertain autour de l'hôtel et le long du chemin conduisant aux bungalows, parmi lesquels se trouvait celui du Dr Graham, Miss Marple essayait de penser à l'attitude qu'elle devrait adopter. Des idées confuses et souvent contradictoires se bousculaient dans son esprit, et elle détestait cela. Toute cette affaire avait débuté d'une façon pourtant très claire. Le major Palgrave, trop bavard, avait été entendu par quelqu'un qui ne devait pas l'entendre. D'où sa mort. Mais après, il fallait bien l'admettre, tout se compliquait. En admettant qu'il ne faille pas se baser sur des « on-dit », ni accorder sa confiance à personne, que beaucoup de ceux avec lesquels elle avait conversé ici, possédaient de regrettables ressemblances avec des gens de St. Mary Mead, où cela la menait-il?

Son esprit se concentrait de plus en plus sur la victime. Elle devinait qu'un autre serait bientôt assassiné et elle se persuadait qu'il lui incombait de savoir qui. Elle était convaincue que quelque chose lui échappait, quelque chose qu'elle aurait entendu? Vu? Elle sentait qu'on lui avait rapporté un fait susceptible d'éclairer le mystère l'obsédant. Joan Prescott? Mais Joan Prescott parlait si souvent pour ne rien dire... Scandales, potins, tout lui était bon. Qu'avait-elle raconté exactement?

Gregory Dyson, Lucky... Celle-là était impliquée dans la mort de Gail Dyson, tout le démontrait... La prochaine victime pour laquelle la vieille demoiselle s'inquiétait, pourrait-elle être Gregory Dyson? Cette Lucky voulait-elle tenter sa chance pour prendre un nouveau mari? Peut-être désirait-elle, à n'importe quel prix, recouvrir non seulement sa liberté, mais aussi recueillir le bel héritage qui lui reviendrait en tant que veuve de Gregory Dyson?

« Vraiment, tout cela n'est que pure conjecture. Je suis stupide. La vérité doit être très simple. Il faudrait seulement en écarter les à-côtés qui la masquent. Tout le problème est là. »

— Vous parlez toute seule? ironisa Mr. Rafiel.

Miss Marple sursauta, ne l'ayant pas entendu venir. Esther Walters soutenait son patron qui, arrivant de son bungalow, s'avançait à pas lents.

— Pensez-vous toujours que les événements vont se précipiter?

— Plus que jamais, seulement je n'arrive pas à comprendre ce qui doit être très simple.

— Eh bien! Si vous avez besoin d'aide, comptez sur moi.

Il tourna la tête comme Jackson approchait.

— Alors, vous voilà, Jackson! Où diable étiez-vous

encore passé? Jamais présent lorsque j'ai besoin de vous, hein?

— Je suis désolé, Monsieur.

Avec dextérité, il passa son bras sous celui de l'invalide.

— A la terrasse, Monsieur?

— Conduisez-moi au bar. Ça va, Esther, vous pouvez vous retirer maintenant et aller mettre votre robe pour la soirée. Retrouvez-moi dans une demi-heure, sur la terrasse.

Aidé de Jackson, il poursuivit son chemin. Mrs. Walters se laissa tomber sur une chaise, près de Miss Marple, et se frotta le bras.

— Il a l'air léger, comme ça, mais je suis tout engourdie. Je ne vous ai pas vue de l'après-midi, Miss Marple?

— Non, je suis restée auprès de Molly Kendal. Elle a l'air d'aller beaucoup mieux.

— Si vous voulez mon avis, il n'y a jamais eu grand-chose qui clochait chez elle.

— Vous voulez dire... Vous pensez que sa tentative de suicide?...

— Je ne pense même pas qu'il y ait eu tentative de suicide. Je ne crois pas une minute qu'elle ait vraiment pris une trop forte dose de somnifère et je suis persuadée que le Dr Graham est de mon avis.

— Pourquoi parlez-vous ainsi?

— Parce que je suis presque sûre que c'est la vérité. Molly ne serait pas la première qui agirait de cette façon pour attirer l'attention

— « Vous me regretterez lorsque je serai morte », cita Miss Marple.

— Oui, c'est un peu ça, bien que pour Molly ce ne devait pas être le cas. Votre phrase est généralement prononcée par celles dont le mari n'est pas très épris, alors qu'elles tiennent à lui.

— Vous ne trouvez pas que Molly Kendal tient à son mari?

— Ma foi... Et vous?

— Je l'ai plus ou moins soupçonnée... Peut-être injustement.

— J'ai beaucoup entendu parler sur son compte, vous savez, à propos de cette histoire.

— Qui vous a renseignée? Miss Prescott?

— Oh! Pas spécialement. Il paraît qu'il y aurait un homme dans l'affaire, un homme que Molly avait beaucoup aimé, mais dont ses parents n'avaient pas voulu entendre parler.

— Je suis au courant.

— Quand elle a épousé Tim, l'autre n'a pas abandonné la partie. Je me suis demandé parfois s'il n'aurait pas suivi Mrs. Kendal jusqu'ici?

— Vraiment? Mais... Qui serait-il?

— Je n'en ai pas la moindre idée. J'imagine qu'ils sont très prudents, tous les deux.

— Vous pensez alors qu'elle préfère cet autre homme?

— Il est probable qu'il ne vaut pas cher, mais c'est souvent ce genre de types qui savent comment séduire une femme et la garder en leur pouvoir.

— Avez-vous appris quelque chose sur lui?

— Non. Les gens hasardent des hypothèses mais, ce ne sont que des hypothèses. Il est possible qu'il ait été marié. Ce serait la raison pour laquelle ses parents à elle auraient vu d'un très mauvais œil sa liaison avec leur fille, ou il peut avoir vraiment été une canaille ou un ivrogne. Mais, quoi qu'il en soit, elle est encore très attachée à lui. Je suis au moins sûre de cela.

— Sur quoi vous basez-vous pour l'affirmer?

— Je suis convaincue de ce que j'avance.

— Ces meurtres...

— Ne pourriez-vous pas les oublier? Quand je pense

que vous avez embarqué Mr. Rafiel dans cette histoire! Je suis persuadée que vous ne découvrirez rien de plus.

— De votre côté, vous pensez connaître la vérité, n'est-ce pas?

— Oui, presque avec certitude.

— Mais alors, ne devriez-vous pas dire ce que vous savez... Tenter de faire quelque chose?

— Pourquoi? Quel bien cela apporterait-il? Je ne pourrais rien prouver. Qu'arriverait-il, de toute manière? De nos jours, les coupables sont si facilement acquittés! On appelle cela, responsabilité limitée. Quelques années en prison, et vous êtes libre à nouveau, aussi pur que l'eau de pluie.

— Supposons, qu'à cause de votre silence, un autre meurtre soit commis?

— Cela n'arrivera pas.

— Vous ne pouvez l'assurer.

— Si. Et de toute façon... la meilleure solution serait qu'elle s'en aille avec l'homme en question, ainsi nous pourrions tout oublier.

Machinalement, la secrétaire jeta un coup d'œil à sa montre, et se levant d'un bond, s'exclama :

— Il faut que j'aille me changer.

Miss Marple la regarda s'éloigner. Ces propos qui désignaient tout le monde et personne intriguaient toujours la vieille demoiselle, et les femmes comme Esther étaient particulièrement enclines à les semer çà et là au hasard de la conversation. La jeune veuve semblait persuadée, pour une raison quelconque, qu'une femme aurait été responsable de la mort du major Palgrave et de celle de Victoria.

— Ah! Miss Marple rêveuse et sans son tricot! Voilà qui n'est pas banal!

Le Dr Graham, qu'elle avait cherché en vain si longtemps, se présentait à elle, s'offrant même à prendre place à ses côtés pour converser quelques minutes. Il ne resterait pas longtemps puisqu'il n'avait pas encore changé de costume pour le dîner.

La vieille demoiselle expliqua qu'elle venait de passer l'après-midi à veiller Molly.

— Ne trouvez-vous pas surprenant, docteur, qu'elle ait pu se remettre aussi rapidement ?

— Non, car notre malade n'a pas absorbé une très grande quantité de somnifère.

— J'avais cru comprendre qu'elle avait pris plus d'un demi-flacon de pilules ?

— Sûrement pas ! Il est possible qu'elle en ait eu l'intention, et qu'à la dernière minute, elle y ait renoncé. Les gens, même décidés à mourir, hésitent souvent, le moment venu. Ils s'arrangent pour ne pas prendre une trop forte dose. Ils réagissent involontairement, guidés pas leur instinct.

— Ils peuvent aussi agir délibérément. Je veux dire... en faisant en sorte que les apparences...

— Bien sûr.

— Si Tim et elle avaient eu une dispute, par exemple ?

— Ils ne se disputent jamais. Je suis persuadé que tout ira bien à présent. Elle pourrait même, à présent, se lever et reprendre son activité normale. Cependant, il est plus prudent de la garder encore un lit un jour ou deux.

Il sourit aimablement, et prit congé pour regagner l'hôtel. Miss Marple resta encore au moment assise à réfléchir. Plusieurs idées traversèrent son esprit... : le livre sous le matelas de Molly... la façon dont la jeune femme avait feint le sommeil... Les propos que Joan Prescott, et dernièrement Esther Walters avaient tenus...

Puis elle fit un retour complet en arrière jusqu'au major Palgrave. Quelque chose lui échappait à ce sujet. Si seulement elle pouvait se souvenir...

CHAPITRE XXIII

« *Ainsi, il y eut un soir et il y eut un matin ; ce fut le dernier jour.* »

Légèrement surprise, Miss Marple se redressa sur sa chaise. Aussi incroyable que cela lui parût, elle s'était assoupie, malgré l'orchestre typique et ses rythmes percutants. Cela prouvait qu'elle s'habituait à cette atmosphère! Voyons... Qu'était-elle donc en train de marmonner? Une phrase de la Bible qu'elle citait de travers. Le dernier jour? Non pas! *Le premier jour!* Voilà le terme exact. Pour elle, ce jour ne se révélait pas le premier et ne serait probablement pas le dernier non plus.

Elle se recala sur sa chaise, se sentant extrêmement lasse. Cette fatigue venait sans doute de son anxiété, de sa conviction d'avoir totalement manqué d'intuition. Avec un certain déplaisir, elle se remémora encore ce regard étrange et rusé qui avait glissé sous les paupières mi-closes de Molly. Quelle pensée traversait alors l'esprit de Mrs. Kendal? Quel changement depuis l'arrivée dans l'île de la vieille demoiselle? Tim Kendal et Molly apparaissant comme un jeune couple heureux, sympathique; les Hillingdon, des gens charmants si bien élevés; Gregory Dyson, gai et expansif; Lucky, une femme toute à la joie de vivre, parlant à tort et à travers, contente de tous et d'elle-même;

le chanoine Prescott, un prêtre doux et affable; Joan Prescott, au caractère légèrement acariâtre, mais une très bonne personne quand même, — tout le monde n'a-t-il pas ses petits défauts? — Mr. Rafiel, une personnalité, un caractère, quelqu'un que vous ne risquiez pas d'oublier. Miss Marple savait que les médecins ayant condamné, depuis plusieurs années, le vieil homme se montraient maintenant plus pessimistes encore dans leur diagnostic. Le malade n'ignorait pas que ses jours étaient comptés. Cette certitude admise, Mr. Rafiel aurait-il agi avec cette impunité qu'assure une échéance inéluctable? Voyons... qu'avait-il affirmé d'un ton un peu trop persuasif, un peu trop assuré? Miss Marple se voulait très sensible aux tonalités des voix, sensibilité qui tenait à sa longue expérience d'auditrice. Mr. Rafiel lui aurait-il délibérément raconté un mensonge?

La vieille demoiselle embrassa du regard l'ensemble du décor : le calme de la nuit, l'agréable parfum des fleurs, les tables et leurs petites lampes individuelles, les femmes élégamment vêtues, Evelyn drapée d'indigo sombre imprimé, Lucky dans une robe-sac blanche, ses cheveux blonds tombant sur ses épaules. Tout le monde semblait heureux de vivre ce soir. Tim Kendal lui-même riait. Passant près de la table de Miss Marple, il déclara :

— Je ne pourrai assez vous remercier de votre dévouement envers Molly. Ma femme est presque rétablie. Le médecin affirme qu'elle pourra se lever demain.

Jane Marple fit un effort pour sourire. Décidément, elle était très lasse...

Elle se leva et retourna lentement vers son bungalow. Elle aurait aimé réfléchir, chercher une solution, essayer de se souvenir, assembler des détails, se rappeler des mots, comprendre la signification de coups d'œil... Mais sa fatigue l'emportait.

Elle se coucha et lut quelques versets de Thomas A.

Kempis[1], avant d'éteindre la lumière. Dans l'obscurité elle murmura une prière. Il était impossible à une personne seule de tout faire. Il aurait fallu qu'on l'aidât. « Il n'arrivera rien cette nuit », s'affirma-t-elle avec espoir.

Miss Marple s'éveilla en sursaut et s'assit dans son lit. Son cœur battait à grands coups. Elle alluma sa lampe de chevet et regarda l'heure. Deux heures du matin. Une activité insolite régnait à l'extérieur. Elle se leva, enfila sa robe de chambre et ses chaussons, s'enveloppa la tête dans une écharpe de laine et partit en reconnaissance.

Dehors, des ombres allaient et venaient, des torches à la main. La vieille demoiselle reconnut le chanoine Prescott et se dirigea vers lui.

— Que se passe-t-il?

— C'est Mrs. Kendal. Son mari en se réveillant a constaté qu'elle avait disparu. Nous la cherchons.

Il reprit ses investigations suivi de loin par Miss Marple. Où était partie Molly? Pourquoi? Avait-elle projeté sa fuite se promettant de s'esquiver dès que la surveillance à son chevet se relâcherait? Ou pendant le sommeil de son mari? Probablement. Mais pourquoi? Existait-il, comme l'avait affirmé Mrs. Walters, un autre homme? Mais alors qui? Ou bien y avait-il une autre raison, plus sinistre, à ce départ?

Tout en se posant mille questions, Miss Marple fouillait les buissons environnants. Soudain, un faible cri lui parvint :

— Ici...! Par ici!...

L'appel venait de l'extrémité du terrain de l'hôtel, près d'une crique d'eau salée se déversant dans la mer. La vieille demoiselle se hâta.

Les chercheurs paraissaient moins nombreux qu'elle ne l'aurait cru. La plupart des pensionnaires devaient encore

---

[1] Mystique allemand du XVe siècle.

dormir. Sur un terre-plein au bord de la crique un petit groupe discutait. Quelqu'un bouscula brutalement Miss Marple. C'était Tim Kendal. Un instant plus tard, elle l'entendit crier :

— Molly! Mon Dieu! Molly!

La vieille demoiselle se joignit au groupe dont elle reconnut les membres : un garçon cubain, Evelyn Hillingdon, et deux filles indigènes. Tim Kendal, l'air hébété fixait l'eau, murmurant : « Molly... ce n'est pas possible... Molly... » Puis lentement, il s'agenouilla.

Miss Marple aperçut distinctement le corps de la jeune femme étendu dans la crique, le visage sous l'eau, ses cheveux dorés étalés sur l'étole de dentelle vert pâle qui lui couvrait les épaules. Avec les feuilles et le jonc l'entourant, on ne pouvait s'empêcher de penser à la mort d'Ophélie...

Au moment où Tim étendit le bras pour attraper la noyée, la calme et raisonnable Miss Marple s'avança en ordonnant :

— Ne la touchez pas, Mr. Kendal! Il ne faut pas qu'elle soit changée de place.

Tim tourna vers elle un visage hébété.

— Mais... c'est Molly...

Evelyn Hillingdon posa sa main sur l'épaule du jeune homme.

— Elle est morte, Tim. Je ne l'ai pas bougée mais j'ai tâté son pouls.

— Morte? Morte? Vous voulez dire qu'elle s'est... noyée?

— Les apparences le laissent supposer.

— Mais pourquoi? Pourquoi? (Sa voix montait, hystérique.) Elle était heureuse ce soir. Elle parlait de ce que nous ferions demain. Pourquoi cette affreuse volonté de mourir s'est-elle emparée d'elle à nouveau? Pourquoi s'est-elle échappée de la maison... pour courir ici et se noyer? Quel désespoir la rongeait donc ? Pourquoi ne m'en a-t-elle jamais parlé ?

— Je ne sais pas, mon pauvre Tim.

Miss Marple intervint :

— Quelqu'un devrait aller chercher le Dr Graham. Il faut également téléphoner à la police.

— La police ? (Kendal eut un rire amer.) Que nous apporteront-ils ?

— Même pour un suicide ces Messieurs doivent être prévenus.

L'hôtelier se releva lourdement.

— Je vais appeler Graham. Peut-être pourra-t-il encore tenter quelque chose pour Molly.

Il s'éloigna d'un pas mal assuré dans la direction de l'hôtel.

Evelyn Hillingdon et Miss Marple debout l'une près de l'autre contemplèrent Molly.

Evelyn hocha la tête :

— Trop tard. Elle est déjà froide. Elle est morte au moins depuis une heure. Quelle tragédie ! Tim et elle ont toujours semblés si heureux ! Je suppose qu'elle n'a jamais dû être bien équilibrée.

— Je ne le pense pas.

— Que voulez-vous dire, Miss Marple ?

La lune jusqu'ici cachée derrière un nuage éclaira la scène. Sa clarté illumina la chevelure de la noyée.

Miss Marple poussa un cri. Elle se pencha et étendit la main pour toucher les cheveux dorés. Sans se retourner, elle lança à l'adresse de Mrs. Hillingdon :

— Nous devrions nous en assurer.

— Mais vous-même avez déclaré à Tim qu'il ne fallait pas la toucher ?

— Je sais, mais la lune ne brillait pas. Je n'avais pas vu...

Avec précaution, elle écarta quelques mèches blondes et découvrit les racines...

Ce fut au tour d'Evelyn de pousser un cri.

— *Lucky!* Ce n'est pas Molly, mais Lucky!

La vieille demoiselle acquiesça :

— La même couleur de cheveux, mais ceux de Lucky, naturellement, étaient plus sombres à la racine parce qu'elle les teignait.

— Pourquoi porte-t-elle l'étole de Molly?

— Elle l'admirait beaucoup et je l'ai un jour entendue déclarer qu'elle désirait acheter la même. Il est évident qu'elle s'est offert ce caprice.

— D'où notre erreur...

Evelyn s'interrompit en remarquant que Miss Marple l'observait.

— Il faut que quelqu'un prévienne son mari.

Après une courte hésitation Mrs. Hillingdon décida :

— D'accord. J'y vais.

Elle s'éloigna en longeant l'allée de palmiers.

Miss Marple, restée seule, tourna légèrement la tête, et demanda à mi-voix.

— Eh bien, colonel Hillingdon?

Edward Hillingdon sortit de derrière un arbre et s'approcha.

— Vous saviez que je me trouvais là?

— J'ai vu votre ombre sur le chemin.

Ils restèrent silencieux, côte à côte, puis Hillingdon murmura comme se parlant à lui-même :

— Ainsi, finalement, elle a trop joué avec sa chance...

— Il me semble que sa mort vous soulage d'un grand poids?

— Je ne le nie pas. Cela vous surprend?

— La mort apporte souvent une solution à certains problèmes.

Il la regarda, et elle soutint bravement son regard.

— Si vous pensez...

Il avança d'un pas vers elle. Son ton s'était fait soudain menaçant.

Miss Marple remarqua calmement :

— Votre femme sera là dans un instant avec Mr. Dyson. Ou bien ce sera Tim Kendal accompagné du Dr Graham.

Edward Hillingdon se détendit et s'éloigna.

Miss Marple s'en fut à son tour sans ajouter un mot. Bientôt, elle accéléra son allure.

Devant son bungalow, elle ralentit le pas. C'était là qu'un certain jour, elle avait conversé avec le major Palgrave... Là qu'il avait fouillé dans son portefeuille pour en tirer la photo d'un meurtrier...

Elle se rappela la façon dont il avait levé les yeux, et la congestion brusque de son visage. « Tellement laid... » avait remarqué la señora de Caspearo ». Il a le mauvais œil. »

Le mauvais œil... œil... *œil!*

CHAPITRE XXIV

Quelles qu'aient pu être les allées et venues rompant le silence de la nuit, Mr. Rafiel ne les avait pas entendues.

Il dormait profondément, lorsqu'il fut saisi aux épaules et secoué violemment.

— Eh... mais... qui diable êtes-vous ?

— C'est moi — répondit Miss Marple, ayant pour une fois oublié son vocabulaire châtié — bien que je devrais user d'un terme plus fort. Les Grecs, je crois, parlaient de la Némesis.

Mr. Rafiel se souleva sur ses oreillers et examina sa visiteuse. Sous la clarté lunaire, la tête enveloppée dans une écharpe vaporeuse de laine rose, Miss Marple ressemblait aussi peu que possible à l'image de la Némesis.

— Ainsi vous êtes la Némesis, hein ?

— Je l'espère, avec votre aide.

— Cela vous gênerait-il de m'expliquer pour quelles raisons vous apparaissez de cette manière dans ma chambre, au milieu de la nuit ?

— Nous devons agir vite. Très vite. J'ai été totalement stupide. J'aurais dû deviner dès le début de quoi il retournait Tout cela se révèle si simple, à la vérité...

— Mais enfin, de quoi parlez-vous ?

— Vous avez beaucoup perdu en dormant. On a découvert un autre cadavre! Tout d'abord nous avons cru qu'il s'agissait de Mrs. Kendal. Mais c'était Lucky Dyson. Noyée dans la crique.

— Lucky? Et noyée? S'est-elle noyée elle-même, ou quelqu'un d'autre l'a-t-il...

— Quelqu'un d'autre.

— Je comprends? Du moins je crois comprendre. Et c'est ce que vous appelez simple? Gregory Dyson a toujours été notre premier suspect et nous ne nous trompions pas. Croyez-vous qu'il s'en tirera?

— Mr. Rafiel, je réclame votre confiance. Nous devons empêcher un nouveau crime d'être commis.

— Ne venez-vous pas de m'annoncer qu'il avait eu lieu?

— Celui-là était une erreur. Un autre meurtre peut être perpétré d'un moment à l'autre, maintenant. Il n'y a pas une minute à perdre. Nous devons le prévenir, et tout de suite.

— C'est bien beau de parler ainsi! Nous! De quoi pensez-vous que je sois capable pour l'éviter? Je ne peux même pas marcher seul! Comment vous et moi pouvons-nous nous opposer à un criminel résolu? Vous avez près de cent ans, et je suis une vieille carcasse démantibulée.

— Je pensais à Jackson. Il fera bien ce que vous lui direz de faire, n'est-ce pas?

— Certainement, surtout si j'ajoute que je m'arrangerai pour qu'il y trouve son avantage.

— Dites-lui de venir avec moi, et d'obéir à tout ce que je lui ordonnerai.

Mr. Rafiel parut réfléchir, puis déclara :

— D'accord, mais je suppose que je prends le plus grand risque de ma vie.

Et tout aussitôt il hurla :

— Jackson!

En même temps il pressa un bouton électrique placé à portée de sa main.

A peine trente secondes plus tard, Jackson s'encadra sur le seuil de la porte.

— Quelque chose qui ne va pas, monsieur ?

Il s'interrompit en découvrant la visiteuse.

— Jackson, vous allez faire ce que je vous dis. Partez avec Miss Marple. Vous la suivrez et vous conformerez exactement à ce qu'elle vous commandera de faire. Compris ?

— Je...

— *Compris ?*

— Oui, monsieur.

— J'ajoute que vous ne perdrez rien dans l'affaire. Vous me comprenez ?

— Parfaitement, monsieur. Merci, monsieur.

— Venez, Mr. Jackson.

Sur le point de sortir, la vieille demoiselle remarqua à l'adresse de Mr. Rafiel :

— Nous vous enverrons Mrs. Walters. Demandez-lui de vous lever et de vous amener.

— M'amener ? Où ?

— Au bungalow des Kendal. Je pense que Molly va y revenir.

Molly avançait, tournant le dos au sentier qui conduisait à la mer. Les yeux fixes, le souffle court, elle poussait de temps à autre un sourd gémissement....

Elle monta les marches de la loggia, hésita un instant, puis ouvrit la porte vitrée et pénétra dans la chambre. La pièce était éclairée mais vide. La jeune femme alla s'asseoir sur le lit. Elle resta un moment immobile, se passant parfois la main sur le front, l'air préoccupé. Elle glissa un bras sous le matelas et sortit le livre qui y était caché. Tournant les pages, elle chercha le passage qui l'intéressait.

Brusquement, elle leva la tête au bruit de pas précipités

qui se rapprochaient. Dans une réaction de coupable, elle dissimula vivement le livre derrière son dos.

Tim, haletant, entra dans la pièce et marqua son soulagement en apercevant la jeune femme.

— Molly! Dieu merci! Mais où étiez-vous? Je vous ai cherchée partout!

— Je suis allée à la crique.

— Vous êtes....

— Oui, à la crique. Mais je ne pouvais pas attendre làbas. Je ne pouvais pas... Il y avait quelqu'un dans l'eau... et elle était morte.

— Vous voulez dire... Savez-vous que je pensais qu'il s'agissait de vous? Je viens seulement d'apprendre que c'est Lucky.

— Je ne l'ai pas tuée. J'en suis sûre. Tim, je ne l'ai pas tuée. Je m'en souviendrais bien si c'était moi, vous ne croyez pas?

Tim s'assit lestement sur le bord du lit.

— Non, vous ne l'avez pas fait... Vous en êtes certaine? Non! Non! évidemment, vous ne l'avez pas tuée!

Il criait presque.

— Ne commencez pas à voir les choses ainsi, Molly. Lucky s'est noyée toute seule. Naturellement! Hillingdon ne voulait plus d'elle. Elle a gagné la crique et s'y est allongée la tête sous l'eau.

— Lucky était incapable d'agir ainsi! Mais je ne l'ai pas tuée! Je le jure!

— Chérie, je n'en doute pas.

Il lui entoura les épaules de son bras, mais elle se recula.

— Je déteste cet endroit! Ce devrait être plein de soleil. Je le croyais. Mais ce n'est pas vrai! Au lieu de soleil, il y a une ombre, une grande ombre noire... Et je suis au milieu... Je ne puis en sortir...

Sa voix était montée dans l'aigu.

— Pour l'amour du Ciel, Molly, calmez-vous!

Il se rendit dans la salle de bains et revint avec un verre plein.

— Buvez. Cela vous apaisera...

— Je ne puis rien boire, mes dents claquent trop.

— Mais si, vous pouvez boire. Asseyez-vous là sur le lit.

Il glissa sa main derrière la tête de la jeune femme et approcha le verre de ses lèvres.

— Allez, buvez, ma chérie...

De la porte-fenêtre, la voix de Miss Marple s'éleva nette et sévère :

— Allez-y, Jackson! Enlevez-lui le verre que vous tiendrez fermement. Prenez garde. L'homme est fort, méfiez-vous de sa réaction.

Jackson était un garçon solide, discipliné, habitué à obéir. De plus, il aimait l'argent, et son patron, le riche Mr. Rafiel, lui avait promis une récompense.

Traversant la pièce d'un bond, d'une main il s'empara du verre que Tim présentait à Molly, et de son autre bras, il entoura le cou de l'hôtelier. Un petit mouvement brusque du poignet, et il eut le verre à son tour. Tim se tourna sauvagement vers lui, mais Jackson le tenait solidement.

— Du diable si... Lâchez-moi! Lâchez-moi! Êtes-vous devenu fou?

Il se débattit violemment.

— Que se passe-t-il, ici?

Soutenu par Esther Walters, Mr. Rafiel apparut à la porte.

— Vous demandez ce qu'il se passe? cria Tim. Ce type est cinglé! dites-lui de me lâcher!

— Non, prononça calmement Miss Marple.

— Parlez, Némesis! Maintenant il faut mettre les points sur les i!

— J'ai été stupide et irréfléchie, mais cette fois j'ai compris. Lorsque le contenu de ce verre aura été analysé, je parie — oui, je parie ma part de Paradis qu'on y trouvera une dose mortelle de narcotique. C'est exactement le déroulement de l'histoire du major Palgrave. Une femme dans un état désespéré : elle tente de se suicider, son mari la sauve à temps la première fois, puis la seconde fois, elle meurt. Oui, exactement la même histoire. Le major Palgrave me raconta l'événement, sortit la photo de son portefeuille, leva les yeux et vit...

— ... derrière votre épaule droite, interrompit Mr. Rafiel.

— Non. *Il n'a rien vu derrière mon épaule droite.*

— Vous m'avez pourtant bien dit... ?

— Je me suis mal exprimé. Je me trompais et j'ai été stupide au-delà de tout ce qu'on peut imaginer. Le major m'a *semblé* regarder derrière mon épaule droite et de toute évidence, il paraissait bien fixer quelque chose — mais il n'aurait rien pu voir, car il regardait de son œil gauche, son œil de verre.

— Je me souviens de son œil de verre. J'avais oublié — du moins je le croyais. — Laissez-vous entendre qu'il ne voyait rien du tout?

— Bien sûr que si! Il voyait même très bien, mais seulement de l'autre œil. De l'œil droit. Dès lors, il ne regardait pas quelque chose ou quelqu'un placé à ce moment-là, à ma droite, derrière moi, mais à ma gauche.

— Et qui?

— Tim Kendal et sa femme à quelque distance de nous, assis à une table placée devant un buisson d'hibiscus. Ils s'occupaient de leurs livres de comptes. Le major leva les yeux. Son œil gauche regardait bien derrière mon épaule droite, mais de son autre œil il aperçut un homme devant un hibiscus, dont le visage ressemblait — quoique un peu vieilli — à celui de la photo. Tim Kendal avait entendu le récit de Palgrave et deviné que ce dernier le reconnaissait. Par conséquent, il était obligé de le tuer. Plus tard, il a assassiné Victoria parce qu'elle l'avait vu mettre la « Serenite » dans la chambre du major. Le prenant sur le fait, la servante ne réalisa pas tout de suite l'importance de l'incident, car il était naturel que Tim se rendît dans le bungalow de ses pensionnaires. Il aurait pu replacer un objet trouvé sur une table du restaurant. Mais à la réflexion, elle en vint à tirer des conclusions, et à le questionner. Dès cet instant, le criminel fut dans l'obligation de se débarrasser d'elle. Ce fut un meurtre accidentel car le seul qu'il ait vraiment voulu perpétrer, c'est celui de Molly. Tim Kendal n'est qu'un tueur d'épouses.

— Quelles idioties! soupira l'accusé en haussant les épaules. Elle déménage complètement!

Un cri s'éleva soudain, un cri sauvage, qui glaça ceux qui l'entendirent. Esther Walters s'écartant brusquement de Mr. Rafiel qui fallit choir, se précipita sur Jackson à qui elle essaya vainement de faire lâcher prise.

— Lâchez-le! Lâchez-le! Ce n'est pas vrai! Pas un mot de tout cela n'est vrai! Tim! Tim chéri, ce n'est pas vrai! Vous êtes incapable de tuer qui que ce soit! J'en suis sûre! Je le sais! Tout vient de cette horrible fille que vous avez épousée! Elle a débité des mensonges sur votre compte! Mais ce ne sont que des mensonges! J'ai confiance en vous parce que je vous aime!

A ce moment, l'hôtelier ne se contrôla plus.

— Pour l'amour cu Ciel, espèce d'idiote, ne pourriez-vous la fermer? Vous tenez à ce que je sois pendu? Fermez-la, je vous dis!

— Pauvre créature aveugle, murmura doucement Mr. Rafiel. C'était donc cela?

CHAPITRE XXV

— C'était donc cela, conclut Mr. Rafiel.

Miss Marple et lui conversaient comme deux amis.

— Elle a eu une intrigue amoureuse avec Tim Kendal, n'est-ce pas?

— Ce n'est peut-être même pas allé si loin, dit pensivement son interlocutrice. Un attachement romantique avec la perspective d'un mariage futur, tout simplement.

— Après la mort de sa femme?

— Je ne pense pas qu'Esther se soit doutée que Molly était en danger de mort. A mon avis, elle a cru seulement ce que Tim lui racontait au sujet d'un autre homme dans la vie de sa femme, lequel personnage les aurait suivis jusqu'ici, et Esther pensait que Tim divorcerait. A ses yeux, l'affaire se présentait sous une apparence nette et respectable. Mais elle aimait sûrement beaucoup Kendal.

— Je la comprends. Un beau garçon. Mais pourquoi s'intéresserait-il à ma secrétaire? L'auriez-vous supposé?

— Vous le savez très bien, Mr. Rafiel.

— Disons que je m'en doute, mais je ne vois pas comment vous, vous l'auriez deviné? Et encore moins comment Tim Kendal lui aussi en aurait eu connaissance?

— Eh bien! avec un peu d'imagination il m'est assez facile de trouver la solution, bien que je préférerais que ce soit vous qui la fournissiez.

— Je n'en ferai rien. Allez-y, puisque vous êtes si maligne, je vous écoute!

— Voyez-vous — comme je vous en avais d'ailleurs averti — votre Jackson fouinait de temps à autre dans vos papiers.

— D'accord, mais il ne pouvait rien apprendre d'intéressant. Je me méfiais.

— J'imagine cependant qu'il a lu votre testament.

— J'en garde en effet une copie avec moi.

— Vous m'aviez affirmé que vous ne laisseriez rien ni à Esther nu ni à Jackson après votre mort. Je vous ai cru et Jackson en était persuadé. Vous disiez la vérité à son sujet mais vous avez fait un legs en faveur d'Esther sans l'en avertir. Vrai?

— Oui, mais je ne vois pas comment vous l'avez découvert?

— C'est, je crois, parce que vous avez trop insisté sur la chose. J'ai une certaine expérience de la façon dont les gens racontent des mensonges.

— Je m'avoue vaincu. C'est vrai, Esther aura cinquante mille livres. Une agréable surprise pour elle, non? Je suppose que mis au courant, Tim Kendal décida de se débarrasser de son épouse, avec une gentille dose d'un poison quelconque, et de s'unir à cinquante mille livres accompagnées d'Esther Walters. Probablement pour disposer d'elle aussi en temps voulu. Mais comment savait-il qu'elle avait cet argent?

— Par Jackson. Ils étaient très amis ces deux-là. Parmi tous les ragots que rapportait Jackson à Tim, ce dernier a pu retenir que sans s'en douter, Esther allait hériter d'une grosse somme. Jackson a sans doute parlé de son espoir de séduire la jeune veuve, quoique jusqu'à présent il n'ait eu guère de succès auprès d'elle, et Tim a décidé de le supplanter. Les choses ont dû se passer ainsi.

— Il est curieux que tout ce que vous imaginez semble parfaitement plausible.

— Je me suis montrée bien sotte et j'aurais dû y voir clair plus tôt. Mais Tim Kendal est un homme aussi rusé que dangereux. Il connaissait parfaitement le moyen de faire circuler des rumeurs. Une bonne part de ce que j'ai appris, je le tenais de lui. Par exemple que Molly voulait épouser un jeune homme plus ou moins taré. J'imagine assez bien que le jeune homme en question, c'etait lui, bien qu'il ait dû changer de nom. Les parents de Molly ayant appris que le passé de Tim se révélait des plus louches, il joua l'indignation et refusa d'être présenté au père et à la mère de sa fiancée. Avec Molly, il arrangea une petite comédie qui dut les amuser beaucoup. Elle prétendit se détacher de lui, et un jour, un certain Tim Kendal apparut, la bouche pleine de noms d'amis de la famille. Les parents de Molly lui ouvrirent les bras comme à un sauveur, espérant qu'il ferait oublier à leur fille son amoureux douteux. Finalement, Tim et Molly se marièrent et avec l'argent de la jeune femme, ils achetèrent cet hôtel. Je pense que Tim savait très bien dépenser la dot de Molly. Il rencontra alors Esther, en qui il vit une agréable perspective de s'enrichir.

— Pourquoi ne s'est-il pas débarrassé de moi?

— Il voulait sûrement s'assurer d'abord des sentiments de Mrs. Walters. D'autre part, enfin, je veux dire...

Elle s'interrompit gênée.

— D'autre part, il comprit qu'il n'aurait pas à attendre longtemps, et qu'il était préférable de me laisser mourir de mort naturelle. La mort des millionnaires étant examinée de plus près que celle d'une simple épouse, n'est-ce pas?...

— Tout à fait juste. Il racontait tellement de mensonges ce Tim... Prenez, par exemple, ceux qu'il inventa pour Molly, plaçant à sa portée ce livre sur les déséquilibres mentaux, lui procurant des drogues qui donnaient des hallucinations. Savez-vous que votre Jackson s'est montré très perspicace sur ce point? Il a dû établir un rapprochement entre les symptômes que présentait Mrs. Kendal et ceux provoqués par certaines drogues. C'est ce jour-là qu'il s'est rendu chez les Kendal pour inventorier leur salle de bains. Ce pot de crème qu'il étudiait quand je l'ai surpris.. Je pense que Jackson songeait aux vieilles histoires de sorcières s'enduisant le corps de produits contenant de la « belladonna ». Utilisée dans de la crème pour visage, cette belladonna pouvait avoir le même effet. Ainsi se seraient expliqués les trous de mémoire de Molly. Je comprends maintenant pourquoi la pauvre petite en était arrivée à avoir peur d'elle-même. Ses symptômes étaient bien ceux d'une maladie mentale. Jackson voyait juste. Peut-être le major Palgrave lui a-t-il mis la puce à l'oreille, à lui aussi.

— Le major Palgrave! Ah! celui-là!

— Il fut l'artisan de son propre meurtre, et de celui de Victoria. Il faillit amener celui de Molly. Mais il ne se trompait pas en reconnaissant un meurtrier en la personne de Tim Kendal.

— Qu'est-ce qui vous a fait vous souvenir de son œil de verre?

— Une réflexion de la señora de Caspearo. Elle débitait un tas de bêtises et notamment que le major avait le mauvais œil. Je lui ai répondu que le vieil homme n'était pas responsable de sa disgrâce. Elle m'a répliqué méchamment que ses yeux louchaient. Je sentais qu'à ce moment-là j'avais entendu quelque chose de très important. Je ne m'en suis souvenue qu'hier soir, après qu'on eut découvert le cadavre de Lucky. J'ai réalisé qu'il n'y avait pas de temps à perdre...

— Comment Kendal a-t-il pu se tromper de victime?

— Pur hasard, à mon avis. Son plan devant être le suivant : ayant convaincu tout le monde, Molly comprise, que sa femme n'était pas normale, et après l'avoir obligée à prendre une certaine dose de drogue qu'il possédait, il lui déclara qu'il leur incombait à tous deux d'élucider ces meurtres mystérieux. Après que tout l'hôtel se fut endormi, il lui donna rendez-vous près de la crique. Il expliqua à sa femme qu'il se doutait de l'identité de l'assassin, et qu'ensemble ils allaient le démasquer. Molly obéit aux instructions de son mari — mais l'esprit confus sous l'effet de la drogue, elle perdit du temps en chemin. Tim arriva le premier, et apercevant celle qu'il crut être Molly — cheveux dorés et écharpe vert pâle — il s'approcha d'elle par-derrière lui plaqua une main sur la bouche, la poussa dans la crique en lui maintenant la tête sous l'eau.

— Charmant garçon ! Mais n'aurait-il pas été plus simple pour lui de forcer la dose de narcotique de sa femme ?

— Beaucoup plus simple, certainement. Mais cela aurait pu donner naissance au doute. Tous les narcotiques et sédatifs avaient été mis hors de portée de Molly, souvenez-vous ? Et si elle avait usé d'un nouveau tube, qui mieux que son mari aurait pu le lui fournir ? Mais, si, dans un geste de désespoir, elle sortirait de chez elle, alors que son innocent époux dormait, toute l'affaire ressemblerait à une tragédie romanesque, et personne ne serait enclin à suggérer qu'elle ait pu être noyée délibérément. De plus, les meurtriers ne peuvent s'en tenir à une mise en scène simple. Ils veulent toujours tout compliquer.

— Vous semblez convaincue de tout connaître sur les Kendal. Ainsi vous pensez que Tim ignorait qu'il venait de se tromper de victime en tuant Lucky ?

— Sans prendre le temps de regarder le visage de la jeune femme, il se sauva aussi vite que possible, attendit à peu près une heure, et entreprit ses recherches en jouant le rôle du mari affolé.

— Mais pour quelles raisons Lucky traînait-elle autour de la crique, au milieu de la nuit ?

Miss Marple eut une petit toux gênée.

— Il est probable qu'elle y attendait quelqu'un.

— Edward Hillingdon ?

— Oh! non! Entre eux, c'est fini. Je me demande si elle ne devait pas rencontrer Jackson...

— Jackson?

— J'ai surpris une ou deux fois, des regards entre eux.

Mr. Rafiel siffla de surprise.

— Mon coureur de Jackson! Je ne l'aurais quand même pas cru capable de s'attaquer... enfin! Tim Kendal a dû avoir un drôle de choc en s'apercevant qu'il venait de tuer Lucky?

— Vous pensez! Il était complètement affolé. Avec Molly rôdant quelque part dans la nuit, et les bruits qu'il avait fait courir au sujet de sa raison vacillante, la police aurait arrêté Mrs. Kendal, et celle-ci examinée par des spécialistes, et les manigances de se mari mises en évidence. Surtout après que Molly aurait expliqué qu'elle avait rendez-vous avec son mari près de la crique. La seule chance pour Tim Kendal de s'en sortir, était d'en finir vite avec elle. Après, il est probable que tout le monde aurait pensé que dans un geste de folie, Molly avait tué Lucky, et qu'épouvantée de son acte, elle s'était suicidée.

— C'est à ce moment-là que vous avez voulu jouer la Némesis, hein?

Il se renversa sur son siège, et partit d'un grand éclat de rire.

— Très bonne blague. Si vous saviez à quoi vous ressembliez ce soir-là, avec cette écharpe enveloppant votre tête, debout, et prétendant être la Némesis! Je ne l'oublierai pas de si tôt!

ÉPILOGUE

Miss Marple attendait son avion à l'aéroport. Un grand nombre de gens l'accompagnait pour la voir partir. Les Hillingdon avaient déjà regagné l'Angleterre. Gregory Dyson, envolé pour une île avoisinante se dévouait — d'après les rumeurs qui se répandaient — auprès d'une veuve argentine. La señora de Caspearo était retournée en Amérique Latine.

Molly se trouvait là, pâle et amaigrie, mais ayant surmonté bravement le choc de sa terrible découverte. Avec l'aide d'un second, désigné par Mr. Rafiel, et arrivé d'Angleterre, elle prenait en main la direction de l'hôtel.

— Cela vous fera du bien d'être occupée, avait remarqué le vieil original. Pendant ce temps, vous ne penserez pas. Vous avez là une très bonne affaire.

— Vous ne croyez pas que les meurtres...

— Les gens adorent les crimes une fois qu'ils sont éclaircis. Continuez, ma fille, et consolez-vous. Ne vous méfiez pas de tous les hommes sous prétexte que vous êtes tombée sur un mauvais cheval.

— Vous parlez comme Miss Marple. Elle m'assure que l'homme qui me consolera viendra un jour.

Ainsi, Molly escortait Miss Marple, avec les deux Prescott, Mr. Rafiel, bien sûr, et Esther — une Esther un peu vieillie et triste, envers laquelle son patron se montrait,

184

d'une façon inattendue, charmant. Jackson aussi, était présent, prétendait s'occuper des bagages de la vieille demoiselle. Tout souriant, il racontait à qui voulait l'entendre, qu'il avait reçu une jolie somme d'argent.

Un vrombissement emplit le ciel. L'avion arrivait. Sur l'aéroport, plutôt sommaire, on n'avait qu'à sortir du petit pavillon couvert de fleurs pour s'avancer sur la piste d'envol.

— Au revoir, chère Miss Marple.

Molly l'embrassa.

— Essayez de venir nous rendre visite à Durham, la supplia Miss Prescott.

Le chanoine lui serra chaleureusement la main.

— Ce fut un grand plaisir de faire votre connaissance. Je renouvelle l'invitation de ma sœur.

Jackson s'inclina :

— Je vous souhaite un bon voyage, madame, et souvenez-vous que chaque fois que vous aurez besoin d'un massage gratuit, envoyez-moi un mot, et nous arrangerons un rendez-vous.

Seule, Esther Walters se détourna légèrement lorsque son tour vint de saluer la voyageuse qui n'insista pas.

Mr. Rafiel se présenta le dernier. Il lui prit la main.

— *Ave Caesar, nos morituri te salutamus.*

— J'ai peur de ne pas bien entendre le latin.

— Mais vous avez compris tout de même?

— Oui. J'ai été heureuse de vous connaître.

Puis elle s'avança sur la piste et monta dans l'avion.

Agatha
Christie

comme on ne l'a
jamais lue

Nouvelle traduction
Édition définitive
6 romans par volume
Commentaires et documents
inédits

Format
12,5 x 19 cm
broché
125 FF TTC

Les Intégrales du Masque

IMPRIMÉ EN FRANCE PAR BRODARD ET TAUPIN
Usine de La Flèche (Sarthe).
ISBN : 2 - 7024 - 1435 - 4
ISSN : 0768 - 0384